Nickel!

méthode de français

1

Cahier d'exercices

H. AUGE - M. D. CANADA PUJOLS - C. MARLHENS - L. MARTIN

CLE INTERNATIONAL

Photographies : F. Po ; P. Revilla / Fotononstop / Philippe Turpin, Dumoulin Christophe, Sébastien Rabany, Nathan Alliard, Stéphane Ouzounoff, Alain Le Bot, Mauritius, Eric Teissedre, Tips / Paolo Curto, Franck Dunouau, Joel Damase, Tips / Cosmo Condina, Lionel Lourdel, Mauritius / Trond Hillestad, Tips / Corrado Giavara, Jean-Luc Armand, Tips / Claudio Beduschi, Nicolas Thibaut ; S. Padura ; A. G. E. FOTOSTOCK / The Granger Collection, visual / pictureperfect, Bertrand Gardel, Picturenet, Judie Long ; GETTY IMAGES / Lucy Lambriex, Karan Kapoor, Cavan Images, Thinkstock, Roderick Chen, John Hay, Cultura Travel / Ben Pipe Photography, VisitBritain / Daniel Bosworth, Pawel Toczynski, Jay B. Sauceda, Erik Von Weber, Emma Innocenti, Visuals Unlimited, Inc. / Gerry Bishop, DEA / DANI-JESKE ; ISTOCKPHOTO / Getty Images ; MUSEUM ICONOGRAFIA / J. Martin ; MUSEUM GUGGENHEIM, NEW YORK ; ARCHIVES SANTILLANA

Coordination éditoriale : A. Jouanjus, C. Robert
Édition : A. Jouanjus, N. Galliard

Coordination du projet éditorial : E. Moreno
Direction éditoriale : S. Courtier

Conception graphique : Zoografico
Couverture : D. Stahringer
Dessins : C. Alberdi, J. Escudero, Zoografico
Recherche iconographique : A. Jouanjus, M. Barcenilla
Coordination artistique : C. Aguilera
Direction artistique : J. Crespo
Correction : A.-S. Lesplulier, D. Garcia
Coordination technique : M. A. M.-G. Dominguez
Direction technique : A. G. Encinar

ISBN : 978-209-038499-4

Table des matières

GRAMMAIRE

Le présent des verbes en *-er* (1) et les pronoms personnels sujets

1 **Remplacez les mots soulignés par les pronoms sujets qui conviennent.**

1. <u>Marie Bertier</u> est belge. → _____ est belge.
2. <u>Pauline et son amie</u> vont au cinéma. → _____ vont au cinéma.
3. <u>Les élèves</u> attendent leur professeur. → _____ attendent leur professeur.
4. <u>Les deux garçons</u> sont très bavards. → _____ sont très bavards.
5. <u>Jeanine et sa collègue</u> arrivent en retard à la réunion. → _____ arrivent en retard à la réunion.
6. <u>Mon ami Paul</u> achète le journal tous les jours. → _____ achète le journal tous les jours.

2 **Soulignez les formes correctes.**

1. Tu *invitez / invites* tes amis à une fête.
2. On *aime / aimons* la musique ethnique.
3. J'*étudies / étudie* dans une école de langues.
4. Vous *travailles / travaillez* dans un bureau ?
5. Elles *continues / continuent* leur voyage.
6. Il *explore / explores* le monde.

3 **Pour bien apprendre le français… Conjuguez les verbes, puis dites dans quel ordre vous faites ces activités.**

a) Tu jou____ les situations. ☐
b) Tu écout____ l'enregistrement. ☐
c) Tu étudi____ la grammaire. ☐
d) Tu répèt____ après le modèle. ☐
e) Tu travaill____ le lexique. ☐
f) Tu vérifi____ avec la transcription. ☐

4 **Complétez les biographies suivantes avec les verbes donnés, au présent.**

1. Jean-Marie Gustave Le Clézio, écrivain français.

changer • commencer • gagner • passer • publier • traiter

1. Il _____ son enfance à l'île Maurice et au Nigéria.
2. Il _____ ses études en Angleterre et il les termine en France.
3. Il _____ son premier roman (*Le procès verbal*) en 1963.
4. Dans les années 70, il _____ de style.
5. Ses derniers livres _____ principalement du thème du voyage.
6. En 2008, il _____ le Prix Nobel de littérature.

2. Karim Benzema, joueur de football français.

débuter • participer • passer • remporter

1. Il _____ son enfance à Lyon.
2. Il _____ sa carrière à l'Olympique Lyonnais.
3. Il _____ le trophée du meilleur joueur de Ligue 1 (2007-2008).
4. Il _____ à sa première grande compétition internationale avec l'équipe de France en 2008.

5 **Conjuguez au présent les verbes entre parenthèses.**

1. – Vous _____ (écouter) les phrases du dialogue ?
   – Bien sûr ! J'_____ (écouter) pour bien comprendre.
2. – Vous _____ (voyager) en première classe ?
   – Pas du tout ! Nous _____ (voyager) en classe touriste.
3. – Tu (aimer) _____ le pain du supermarché ?
   – Non ! J'_____ (aimer) le pain de la boulangerie.
4. – À quelle heure vous _____ (manger) en France ?
   – Normalement, nous _____ (manger) à midi.

6 Dites si le pronom *vous* correspond à un ou à plusieurs interlocuteurs.

	un	plusieurs
1. Les enfants, vous avez apporté vos tablettes ?	☐	☐
2. Vous êtes tous invités au buffet international.	☐	☐
3. Monsieur, vous avez l'heure s'il vous plaît ?	☐	☐
4. Madame, vous êtes la nouvelle bibliothécaire ?	☐	☐
5. Vous pouvez épeler votre nom madame, s'il vous plaît ?	☐	☐

Le groupe « article défini + nom »

7 Complétez les phrases avec l'article défini qui convient.

1. _____ livres qui sont sur _____ table sont très intéressants.
2. Ils cherchent _____ salle d'informatique pour _____ cours de 15 h.
3. Pierre est _____ ami français de Coralie.
4. _____ secrétaire du directeur s'appelle Serge.
5. Ferme _____ porte, s'il te plaît !
6. _____ étudiants se présentent le premier jour.
7. Je t'attends à _____ entrée de _____ école.

8 Complétez les phrases avec les noms suivants : *salle de classe, professeure, ordinateur, élèves, bibliothécaire, ami.*

1. Les _____ écoutent le professeur.
2. L'_____ de mon frère s'appelle Mathieu.
3. La _____ de maths est suisse.
4. M. Leroy est le _____ du lycée.
5. La _____ est très spacieuse.
6. L'_____ du professeur est sur son bureau.

9 Mettez ces noms au singulier, puis classez-les selon la forme de l'article défini.

les amies • les salles • les ordinateurs • les cahiers • les exemples • les copains • les fenêtres • les stylos

féminin (sing.)		masculin (sing.)	
la	l'	le	l'

Les verbes *être* et *avoir*

10 Complétez les phrases avec *être* ou *avoir* à la forme qui convient.

1. Nous _____ en salle sept. Et vous ?
2. Elle _____ cours d'histoire.
3. Ils _____ français mais ils habitent en Suisse.
4. J' _____ des professeurs amusants.
5. Nous _____ une fille de seize ans.
6. Il _____ timide et réservé.
7. Tu _____ anglaise ou irlandaise ?
8. Vous _____ le livre d'histoire de première année ?

LEXIQUE

Tout sur l'école !

1 **Classez les mots de la liste ci-dessous dans les catégories correspondantes.**

a) le cahier

b) la bibliothèque

c) le crayon

d) le taille-crayon

e) le laboratoire

f) la gomme

g) les ciseaux

h) les toilettes

i) la salle d'informatique

j) le stylo à bille

k) la trousse

l) la feuille

1. Le matériel de classe : _____

_____

2. Les lieux : _____

_____

2 **Complétez les phrases avec les noms de lieux proposés.**

médiathèque • secrétariat • cafétéria • salle multimédia • laboratoire • toilettes •
couloir • salle des professeurs • bureau

1. Les étudiants vont à la _____ pour déjeuner.

2. Les _____ sont à droite au bout du _____ .

3. Le _____ du directeur est au deuxième étage.

4. Nous faisons des exercices d'écoute dans le _____ de langues.

5. Il y a quinze ordinateurs dans la _____ .

6. Les fiches d'inscription se trouvent au _____ .

7. Il y a un grand choix de livres et de DVD à la _____ .

8. Les professeurs préparent leurs cours dans la _____ .

3 **Complétez le dessin : notez la lettre correspondant à chaque meuble ou objet.**

a) une table

b) une chaise

c) une corbeille à papier

d) un bureau

e) un tableau interactif

4 **Complétez les phrases avec les mots suivants.**

bibliothécaire • année scolaire • secrétaire • salle de classe • professeur •
étudiants • cours • directrice • concierge

1. Voilà le mois de septembre : en Europe, l'_____ va bientôt commencer.

2. Au moment de l'inscription, nous demandons
à la _____ quels jours de la semaine
nous avons _____ et le numéro
de notre _____ .

3. Notre _____ nous indique les livres
que nous allons utiliser et nous les demandons
à la _____ pour les consulter.

4. Le _____ ouvre la porte de
l'école aux _____ de français.

5. La _____ reçoit des visites tous
les matins de 10 h à 12 h.

Les nationalités

5 **Retrouvez les noms de pays dans la grille, puis complétez les phrases.**

1. Il vient de Dublin. Il habite en _____ .
2. Il est chinois. Il habite en _____ .
3. Elle vit à Lyon. Elle vient de _____ .
4. Il habite au Québec, au _____ .
5. Elle est roumaine. Elle vit en _____ .
6. Il habite à Stockholm. Il vient de _____ .
7. Elle vient de Rome, d'_____ .
8. Il est né à Tokyo, au _____ .

W	N	C	F	N	L	R	V	Q	P	I
J	B	A	L	Q	S	Z	E	I	H	R
P	E	N	D	U	H	S	N	O	E	L
I	T	A	L	I	E	A	U	D	B	A
X	Q	D	S	C	E	V	T	E	M	N
T	P	A	F	Y	N	J	D	S	D	D
S	R	X	R	O	U	M	A	N	I	E
C	A	E	A	C	B	R	Y	P	F	C
U	Z	A	N	E	U	C	Y	K	O	B
Z	A	B	C	C	H	I	N	E	I	N
A	S	D	E	V	P	Q	O	I	A	C

6 **Complétez chaque phrase avec un nom de pays et un des adjectifs de nationalité proposés ci-dessous.**

marocain(e) • suisse • allemand(e) • espagnol(e) • français(e) • américain(e) • russe •
chinois(e) • italien(ne) • anglais(e)

1. Carla habite à Rome, en _____ . Elle est _____ .
2. Wolfgang est de Berlin, en _____ . Il est _____ .
3. Isabelle vient de Paris, en _____ . Elle est _____ .
4. Vladimir habite à Moscou, en _____ . Il est _____ .
5. John est de Londres, en _____ . Il est _____ .
6. Wang habite à Hong-Kong, en _____ . Il est _____ .
7. Nadia vient de Casablanca, au _____ . Elle est _____ .
8. Kate habite à Washington, aux _____ . Elle est _____ .
9. María vient de Madrid, en _____ . Elle est _____ .
10. Bernard vient de Genève, en _____ . Il est _____ .

MON DICO PERSO
L'école, les nationalités, les langues

Cet espace est à vous… Élaborez votre « dico perso » au fil des unités.
Pour commencer, nous vous proposons de « mettre les étiquettes » sur les groupes de mots correspondants.

À vous aussi de compléter ces catégories avec les mots de l'unité qui vous semblent utiles.

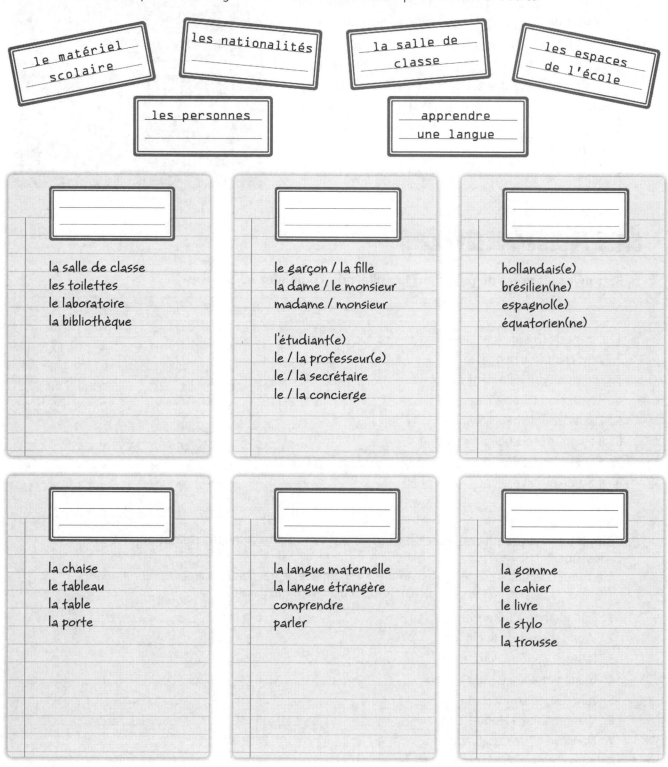

le matériel scolaire

les nationalités

la salle de classe

les espaces de l'école

les personnes

apprendre une langue

---

la salle de classe
les toilettes
le laboratoire
la bibliothèque

---

le garçon / la fille
la dame / le monsieur
madame / monsieur

l'étudiant(e)
le / la professeur(e)
le / la secrétaire
le / la concierge

---

hollandais(e)
brésilien(ne)
espagnol(e)
équatorien(ne)

---

la chaise
le tableau
la table
la porte

---

la langue maternelle
la langue étrangère
comprendre
parler

---

la gomme
le cahier
le livre
le stylo
la trousse

Un conseil : passez ces listes au format numérique. Vous pourrez ainsi les compléter à l'infini, les personnaliser, les emporter avec vous…

À suivre…

PRONONCIATION

Relations son-graphies : la finale des mots

1 Écoutez et classez les mots suivants selon leur terminaison.

argent • bal • clavier • gommes • lunettes • papier • vin • art • bon • dur • gros • mouchoir • sec • voulez • avoir • ciseaux • effet • garçon • intuitif • neuf • sirop

Lettres finales non prononcées	Lettres finales prononcées

Entraînez-vous à répéter ces mots : distinguez bien leur terminaison.

Grammaire et prononciation : le singulier et le pluriel

2 Écoutez et indiquez si les groupes « article + nom » sont au singulier ou au pluriel.

	1	2	3	4	5	6	7	8
singulier								
pluriel								

Entraînez-vous à répéter ces phrases : distinguez bien la prononciation de [e] / [ə].

3 Écoutez et indiquez si les verbes sont au singulier ou au pluriel.

	1	2	3	4	5	6	7	8
singulier								
pluriel								

Entraînez-vous à répéter ces phrases : attention à la prononciation du son [z].

4 Mettez les phrases suivantes au pluriel, puis vérifiez la prononciation à l'aide de l'enregistrement.

1. L'enfant mange le gâteau.

2. Le bébé pleure et jette le biberon par terre.

3. La fille préfère la promenade du matin.

4. Le garçon adore marcher sur le boulevard.

COMPÉTENCES
ÉCOUTER

◀€ 1 Écoutez le dialogue et choisissez l'option correcte.

1. Combien de personnes entendez-vous ?
  a) Deux.
  b) Trois.
  c) Quatre.

2. Où sont-elles ?
  a) Dans la rue.
  b) Au resto U.
  c) Dans une salle de classe.

3. Elles parlent...
  a) de travail.
  b) d'une camarade commune.
  c) de la camarade d'une des deux filles.

4. L'une des filles...
  a) propose de présenter sa camarade.
  b) ne veut pas présenter sa camarade.
  c) veut présenter sa camarade un autre jour.

◀€ 2 Écoutez, puis dites si c'est vrai ou faux.

[…]
– Tu vas à la bibliothèque ?
– Non, je vais en salle multimédia. J'ai rendez-vous avec Emma pour étudier l'anglais.
– Emma ! Quelle chance, elle est super !
– Oui, et après on va au cinéma...
– Au cinéma avec Emma…
[…]

	Vrai	Faux
1. Un des amis ne va pas bien.	☐	☐
2. Les deux amis ont des examens.	☐	☐
3. Un des amis va à la bibliothèque.	☐	☐
4. Il a rendez-vous avec Emma, dans la salle multimédia.	☐	☐
5. Après, ils vont au cinéma.	☐	☐
6. Il ne propose pas à son ami de venir.	☐	☐
7. Son ami trouve Emma antipathique.	☐	☐
8. Il voudrait aller au cinéma, mais il a cours.	☐	☐

◀€ 3 Écoutez ces mini-dialogues et dites si ces personnages vont bien, pas très bien ou ne vont pas bien.

	bien	pas très bien	pas bien
dialogue 1			
dialogue 2			
dialogue 3			

PARLEr

4 Associez les phrases de la première colonne aux répliques correspondantes.

1. Salut, tu vas bien ?
2. Votre nom et votre prénom, s'il vous plaît ?
3. Au revoir !
4. Bonjour madame Favier, vous allez bien ?
5. Comment elle s'appelle ?
6. Qui est-ce ?

a) Très bien, merci. Et vous, monsieur Leclerc ?
b) Sophie Merlin.
c) C'est le directeur.
d) Fabre Denis.
e) Salut Lucie, oui, ça va bien, et toi ?
f) À bientôt !

5 Que dites-vous dans les situations suivantes ? Choisissez parmi les énoncés proposés.

À tout à l'heure ! ● Au revoir ! ● Bonjour ! ● Salut !

1. Vous partez travailler et vous croisez votre voisine. Vous dites : _____
2. Au téléphone, vous prenez rendez-vous avec un ami pour aller au cinéma dans l'après-midi. Avant de raccrocher, vous dites : _____
3. C'est la fin des cours, vous rentrez chez vous. Vous dites : _____
4. Vous arrivez à une fête et un ami vous ouvre la porte. Vous dites : _____

6 Complétez le tableau. Que dites-vous pour... ?

1. demander à quelqu'un comment il / elle s'appelle	
2. donner votre nom	
3. demander à quelqu'un s'il / si elle va bien	
4. dire comment vous allez	
5. demander à quelqu'un s'il / si elle connaît une personne	
6. faire un commentaire agréable sur quelqu'un	
7. présenter quelqu'un	
8. prendre congé	

COMPÉTENCES

7 Remettez cette conversation dans l'ordre.

– Salut Kamil, ça va ?
– Pas mal. Kamil, je te présente Niko.
  Il est japonais.
– Oui, ça va. Et toi ?
– Ça va bien.
– Bonjour Niko. Comment ça va ?

Hervé : _____

Kamil : _____

Hervé : _____

Kamil : _____

Niko : _____

 LIRE

8 Lisez la biographie langagière de Joël Renzo, puis complétez la fiche sur la page ci-contre.

Guten tag   Hello   Bonjour   Hola   Buongiorno

MA BIOGRAPHIE LANGAGIÈRE

Je suis une image vivante et parlante du rêve de l'Europe. Né à Fribourg, je suis d'origine suisse et ma langue maternelle est l'allemand.

Mais comme Fribourg est une ville bilingue (français-allemand), je considère le français comme ma deuxième langue : je l'ai étudié à l'école, au lycée et à l'université, de même que l'anglais.

J'ai de la famille en France et en Angleterre, j'ai passé mes vacances dans ces deux pays et j'ai des amis là-bas.

À l'université, j'ai aussi suivi des cours d'italien.

Fribourg, ma ville natale.

Enfin, j'ai aussi un contact avec l'espagnol. Je passe souvent mes vacances en Espagne et maintenant je le parle assez bien. Actuellement, je me prépare à travailler dans une entreprise espagnole.

Comme vous le voyez, j'utilise facilement cinq langues et un jour, peut-être, je me mettrai au chinois ou à l'arabe.

Répondre

ÉCRIRE

LANGUE MATERNELLE : _____

Complétez le tableau.

Sa première langue étrangère est le / l' :	Sa deuxième langue étrangère est le / l' :	Sa troisième langue étrangère est le / l' :	Sa quatrième langue étrangère est le / l' :
_____	_____	_____	_____

CONTACTS AVEC CES LANGUES

Complétez avec *oui* ou *non*.

Relations affectives	Il a de la famille…		
	A en France.	**B** en Angleterre.	**C** en Espagne.
	_____	_____	_____

Complétez avec les noms de pays.

Voyages et séjours	**A** séjours dans la famille :	**B** vacances :
	_____	_____

Associez.

Étude des langues	**A** Il a étudié cette / ces langue(s) pendant peu de temps.	• l'espagnol
	B Il a étudié cette / ces langue(s) pendant longtemps.	• le français
		• l'italien
	C Il n'a pas étudié cette / ces langue(s).	• l'anglais

Complétez avec *oui, non* ou *On ne sait pas*.

Relations de travail	**A** Il travaille pour une entreprise suisse.	**B** Il se prepare à travailler pour une entreprise espagnole.	**C** Il parle plusieurs langues dans son travail.
	_____		

🔊9 Écoutez et complétez.

_____ _____ Mario. _____ italien. _____ _____ professeur à _____. _____ _____ _____ en salle dix.

Olga _____ _____. Elle est jeune : _____ _____ 22 ans. _____ _____ étudiante. Elle parle _____ et _____. Elle est _____ _____.

GRAMMAIRE

1 **Complétez les phrases avec les noms suivants :** *enfants, étudiant, employée, amie, livres, visage.*

1. Anne Levy est une _____ de Pôle emploi.
2. C'est un _____ de l'université.
3. Il y a des _____ dans la salle.
4. Elles surveillent des _____ dans la cour.
5. Elle a un _____ ovale.
6. Marina est une _____ de Malik.

2 **Complétez les phrases avec l'article qui convient.**

1. Sophie a deux enfants : _____ fille de quinze ans et _____ garçon de douze ans.
2. L'enfant a _____ petit nez tout mignon et _____ joues rondes et rouges.
3. Je tricote _____ pull pour mon fils et _____ écharpe pour ma fille.
4. Elle achète _____ robe élégante et _____ sac assorti pour le mariage.
5. Je voudrais avoir _____ rendez-vous avec madame Latour, s'il vous plaît.
6. La secrétaire du directeur a _____ cheveux courts !

Le genre des adjectifs

3 Mettez au féminin les adjectifs suivants, puis classez-les dans le tableau.

intelligent • énergique • joli • brun • vert • timide • généreux • égoïste • extraverti •
aimable • large • mignon • courageux • émotif • franc

masculin = féminin	masculin ≠ féminin	
	= à l'oral mais ≠ à l'écrit	≠ à l'oral et ≠ à l'écrit

Le présent des verbes en -*er* (2)

4 **Conjuguez au présent les verbes entre parenthèses.**

1. Elle _____ (préférer) passer la soirée à lire un bon livre.
2. Ils _____ (se tutoyer) parce qu'ils se connaissent depuis longtemps.
3. Vous _____ (aller) au marché tous les vendredis ?
4. Mon père me _____ (répéter) toujours la même chose.
5. Je te _____ (rappeler) que nous avons un rendez-vous avec le directeur.
6. Les enfants _____ (aller) à l'école en autobus ; moi, je _____ (aller) au travail à pied.
7. Tu _____ (payer) tes courses par carte bancaire ou par chèque ?
8. Nous _____ (compléter) tous les albums que nous _____ (commencer).

2

5 **Complétez le texte suivant avec les verbes proposés au présent.**

aller • avoir • être • mesurer • ne pas avoir • passer • penser • peser • s'appeler • travailler

Salut ! Je _____ Leïla et j'_____ 17 ans. Je _____ 1,70 mètre
et je _____ 60 kilos. Mes amis _____ que je _____ très sympa.
Je _____ le bac cette année alors je _____ très dur. Je _____
à la bibliothèque tous les jours après les cours. En ce moment, je _____ le temps de sortir
avec mes copains.

La négation

6 **Mettez les éléments proposés dans le bon ordre pour former des phrases.**

1. connais / je / Martinet / ne / pas / Laurence

_____

2. Larrieux / ne / ils / pas / s'appellent

_____

3. ne / pas / comprends / russe / je / le

_____

4. les / aiment / elles / n' / sombres / pas / couleurs

_____

5. avons / français / pas / de / aujourd'hui / cours / n' / nous

_____

7 **Mettez les phrases suivantes à la forme négative.**

1. Nous sommes amoureux.

_____

2. Elle porte des lunettes rouges.

_____

3. Il a un ami portugais.

_____

4. Je cherche le responsable du bureau.

_____

5. Elle complète une fiche d'inscription.

_____

6. Nous avons un appartement à Paris.

_____

7. Tu connais Marie Delormand ?

_____

8. Vous êtes mariés ?

_____

C'est... - Il / Elle est...

8 **Présentez les personnages suivants, puis caractérisez-les.**

1. Qui est Charlotte Gainsbourg ? _____ une actrice. _____ française.
2. Qui est Shakira ? _____ une chanteuse. _____ colombienne.
3. Qui est Jo-Wilfried Tsonga ? _____ un joueur de tennis français. _____ très fort.
4. Qui est Angela Merkel ? _____ une politicienne allemande. _____ physicienne.
5. Qui est Mario Testino ? _____ un photographe de mode. _____ péruvien.
6. Qui est David Guetta ? _____ un DJ français très célèbre. _____ blond et mince.

LEXIQUE
Le visage

1 Complétez le dessin avec les noms de la liste suivante.

la tête
la bouche
le nez
le cou
le visage
la joue
l'oreille
l'œil (les yeux)
les cheveux

2 Dites quelle partie du corps vous utilisez pour…

1. regarder : _____

2. écouter : _____

3. sentir : _____

4. manger : _____

3 Complétez le paragraphe suivant avec des mots de l'activité 1.

Julien a un _____ très rond et un _____ petit et large. Ses _____ sont blonds et frisés. Ses _____ sont très grands et verts et il a un _____ droit et petit. Ses _____ sont minuscules. C'est le copain de mon ami Renaud.

4 Classez les adjectifs ci-dessous dans les colonnes correspondantes. Attention, certains mots peuvent correspondre à plusieurs colonnes. Pensez à accorder les adjectifs quand c'est nécessaire.

court(s) • petit(e)(s) • carré • long(s) • grand(e)(s) • fin(e)(s) • triangulaire • frisés • allongé • rond(e)(s) • raides • large • ondulés

le visage	les cheveux	le nez	la bouche	les oreilles

5 Décrivez l'homme ou la femme idéal(e) pour vous, à partir des éléments de l'activité 4.

Exemple : L'homme idéal a un visage rond…

_____

_____

_____

_____

_____

_____

Les couleurs

6 **La symbolique des couleurs. Retrouvez la couleur qui correspond à chaque signification.**

1. Le b_____ représente la sérénité, le calme, la méditation, la confiance.

2. Le j_____ symbolise la fête, la joie, la puissance, la science, la conscience.

3. Le r_____ est synonyme d'amour, de passion, de triomphe, d'action, de force.

4. Le v_____ est synonyme d'espérance, de nature, de repos et de fécondité.

5. Le b_____ symbolise la pureté, l'innocence, la chasteté, le silence.

6. L'o_____ représente l'énergie, l'ambition, l'enthousiasme, l'imagination, l'honneur.

7. Le v_____ est synonyme de mystère, de spiritualité, de religion, de noblesse.

8. Le g_____ représente la sobriété, la tristesse, le modernisme, la monotonie.

7 **La couleur des cheveux. Retrouvez l'adjectif qui correspond à chaque couleur.**

1. marron : _____ **3.** rouge / orange : _____

2. noir : _____ **4.** jaune : _____

Du physique au caractère

8 **Soulignez l'intrus.**

1. curieux • drôle • mince • agréable • têtu

2. grand • mince • corpulent • sympa • petit

3. sociable • extravertie • grande • gaie • bavarde

4. de taille moyenne • jeune • vieux • adulte • âgé

9 **Associez chacun des adjectifs suivants à son contraire.**

avare   silencieux   **désagréable**   **lent**   *extraverti*

triste   agréable   **introverti**   *généreux*   bavard   **rapide**

travailleur   **poli**   *gai*   paresseux   impoli

10 **Trouvez les adjectifs qui conviennent pour chaque phrase. Attention aux accords !**

1. Chut ! Marc et Antoine, taisez-vous ! Vous êtes vraiment trop _____ !

2. Si tu es _____, tu auras un bonbon.

3. Jacques est très _____. Il ne fait rien !

4. Les élèves sont _____ pendant l'exposé.

5. Moi, je suis _____ ; mon copain, au contraire, est très _____.
Il parle toujours avec tout le monde.

6. Elle ne pense jamais aux autres. Quelle _____ !

MON DICO PERSO
Pour faire un portrait...

Cet espace est à vous… Élaborez votre « dico perso » au fil des unités.
Nous vous proposons d'écrire les titres correspondant à chaque catégorie de mots.

À vous aussi de compléter ces catégories avec les mots de l'unité qui vous semblent utiles.

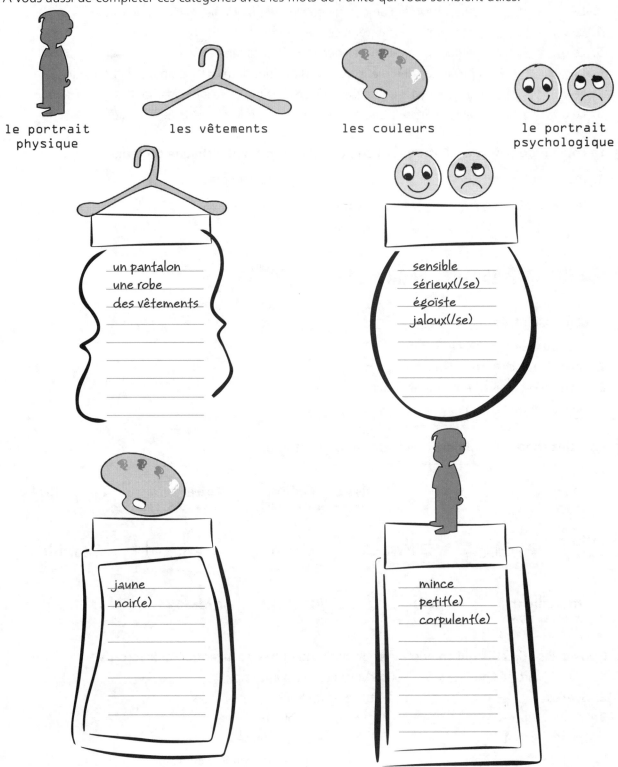

le portrait
physique

les vêtements

les couleurs

le portrait
psychologique

un pantalon
une robe
des vêtements

sensible
sérieux(/se)
égoïste
jaloux(/se)

jaune
noir(e)

mince
petit(e)
corpulent(e)

Un conseil : passez ces listes au format numérique. Vous pourrez ainsi
les compléter à l'infini, les personnaliser, les emporter avec vous…

À suivre...

PRONONCIATION

Rythme et accent

1 Écoutez et comptez le nombre de syllabes prononcées dans chaque phrase.

1	2	3	4	5	6	7	8

2 Classez les phrases suivantes selon le nombre de syllabes.

Tu es blond. ● Je suis sympa. ● Salut ! ● Il est gentil. ● Bravo ! ● C'est une fille. ●
Super ! ● Elle est gaie. ● Tu es petit.

2 syllabes	3 syllabes	4 syllabes

3 Écoutez les phrases suivantes et entourez la syllabe accentuée.

1. Il est beau.　　　**2.** Elle est triste.　　　**3.** C'est une dame.　　　**4.** Bonjour !　　　**5.** Il est timide.

4 Complétez les phrases précédentes à l'aide du / des mot(s) entre parenthèses.

1. (très) Il est beau. → _____

2. (un peu) Elle est triste. → _____

3. (sympa) C'est une dame. → _____

4. (Sophie) Bonjour ! → _____

5. (vraiment) Il est timide. → _____

5 Entourez à présent la syllabe accentuée de ces phrases : que constatez-vous ?

Grammaire et prononciation : le masculin et le féminin

6 Écoutez et indiquez si les groupes « article + nom » sont au masculin ou au féminin.

	1	2	3	4	5	6	7	8
masculin								
féminin								

7 Écoutez et indiquez si l'on parle d'un homme, d'une femme ou si on ne sait pas.

	1	2	3	4	5	6	7	8
homme								
femme								
On ne sait pas.								

COMPÉTENCES
ÉCOUTER

🔊 **1** Le jeu des portraits. Écoutez cette émission et remplissez la fiche concernant la personne décrite. Attention ! Il y a plus de rubriques que d'informations données.

1. nom et prénom	
2. sexe	
3. âge	
4. nationalité	
5. état civil	
6. lieu de résidence	
7. profession	

🔊 **2** Écoutez le dialogue et dites si les affirmations sont vraies ou fausses.

	Vrai	Faux
1. La personne qui téléphone veut acheter des rollers.	☐	☐
2. Les deux interlocuteurs sont étudiants.	☐	☐
3. Ils étudient dans la même fac.	☐	☐
4. Ils se donnent rendez-vous à la médiathèque.	☐	☐
5. Maxime a les cheveux courts.	☐	☐
6. Jonathan a les cheveux mi-longs.	☐	☐
7. Ils sont tous les deux grands et bruns.	☐	☐

🔊 **3** Visites guidées au musée. Écoutez et associez chaque mini-dialogue à un portrait.

a)

b)

Dialogue : _____   Dialogue : _____

PARLEr

4 Que dites-vous pour… ? Écrivez dans chaque bulle le numéro de l'acte de parole correspondant.

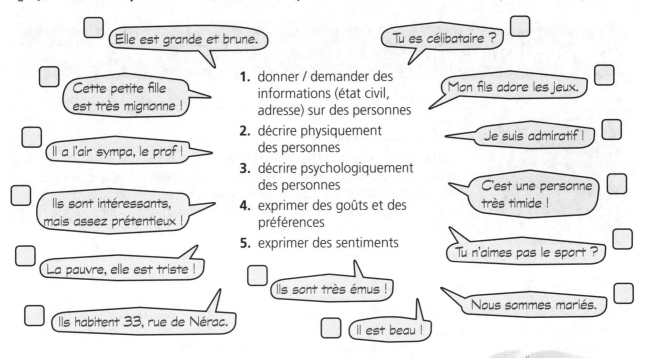

☐ Elle est grande et brune.

☐ Tu es célibataire ?

☐ Cette petite fille est très mignonne !

☐ Mon fils adore les jeux.

☐ Il a l'air sympa, le prof !

☐ Je suis admiratif !

☐ Ils sont intéressants, mais assez prétentieux !

☐ C'est une personne très timide !

☐ La pauvre, elle est triste !

☐ Tu n'aimes pas le sport ?

☐ Ils habitent 33, rue de Nérac.

☐ Ils sont très émus !

☐ Nous sommes mariés.

☐ Il est beau !

1. donner / demander des informations (état civil, adresse) sur des personnes
2. décrire physiquement des personnes
3. décrire psychologiquement des personnes
4. exprimer des goûts et des préférences
5. exprimer des sentiments

5 Replacez les répliques de mademoiselle Milou au bon endroit.

– D'accord, madame.
– C'est un homme jeune, brun, avec des lunettes.
– Il s'occupe des dossiers d'inscription.
– Oh, pardon. J'ai rendez-vous avec lui.
– Mademoiselle Milou.
– Merci, madame.
– Bonjour madame, je voudrais parler à monsieur Burki.

Mlle Milou : – _____

La dame : – Monsieur Burki, je ne connais pas.

Mlle Milou : – _____

La dame : – Mais comment est-il ?

Mlle Milou : – _____

La dame : – Alors, vous cherchez monsieur Bakri.

Mlle Milou : – _____

La dame : – Attendez, vous êtes…

Mlle Milou : – _____

La dame : – Ah oui ! Vous êtes sur l'agenda. Un instant, s'il vous plaît.

Mlle Milou : – _____

La dame : – Allô ? Monsieur Bakri, mademoiselle Milou est là. […] Monsieur Bakri arrive tout de suite.

Mlle Milou : – _____

COMPÉTENCES
LIRE

6 Lisez le document ci-dessous et répondez aux questions.

numérologie.com

Courrier des lecteurs

Anaïs

> **❝** Bonjour Anaïs,
>
> Voilà, je m'appelle Océane, j'ai 19 ans et ma date de naissance est le 2 mars 1994. J'ai un petit ami, il s'appelle Arnaud et il est né le 9 août 1992. On s'aime et on voudrait vivre ensemble, mais on est très différents et on se dispute souvent... Alors je me demande si on est compatibles. Merci de me répondre ! **❞**

Chère Océane,

Vous avez en effet tous les deux une forte personnalité, mais il n'y a pas d'incompatibilité... Au contraire, vous vous complétez ! D'après votre nombre, le 3, vous avez l'âme d'une artiste : la créativité, la sociabilité, l'optimisme et le goût du paraître sont vos principales caractéristiques.

Le nombre de votre petit ami, le 4, correspond à une personne organisée, ordonnée, méthodique, qui aime la discipline. Il vous apporte donc un peu de sens pratique et de rigueur et vous évite de trop vous disperser. Et vous, vous lui apportez un peu de chaleur et d'enthousiasme et vous l'aidez à être plus flexible.

Si chacun est conscient de ses qualités et de ses défauts, et fait des concessions, votre relation peut très bien fonctionner !

Qui...	Océane	Arnaud
1. a un fort caractère ?	☐	☐
2. a une sensibilité artistique ?	☐	☐
3. est créatif(/ve) ?	☐	☐
4. aime l'ordre ?	☐	☐
5. est rationnel(/elle) ?	☐	☐
6. voit la vie en rose ?	☐	☐
7. est rigoureux(/euse) ?	☐	☐
8. n'est pas flexible ?	☐	☐
9. aime le contact humain ?	☐	☐
10. a le sens de l'organisation ?	☐	☐

ÉCRIRE

7 Choisissez un des personnages suivants, présentez-le, puis décrivez son physique et imaginez son caractère.

_____
_____
_____
_____
_____
_____
_____
_____

8 Dictée. Écoutez et complétez.

1. Le prof de français est très _____. Il est _____ et _____.
2. Tu _____ la fille là-bas ? La grande _____ ! Elle est en _____ cinq, à côté de nous.
3. _____ tu fais ici, Claire ? Tu _____ à Toulouse maintenant ?
4. Le directeur a les yeux _____ et il porte des _____.
5. Je vais passer une petite _____ pour trouver un _____ francophone.

GRAMMAIRE

1 **Associez le vendeur aux produits qu'il vend et utilisez l'article partitif qui convient.**

lait • croissants • fleurs • pain • plantes • sauce tomate •
crème fraîche • fromage • vin • farine • conserves

1. Le crémier vend…

_____

_____

2. Chez le boulanger, on achète…

_____

_____

3. L'épicier vend…

_____

_____

4. Chez le fleuriste, on peut acheter…

_____

_____

2 **Mettez les phrases suivantes à la forme négative.**

1. Ce soir, on mange des pâtes à la napolitaine ! _____

2. Je mets du sucre dans mon thé. _____

3. Tu manges de la viande ? _____

4. Il achète des champignons de Paris pour faire une pizza. _____

5. Pendant les repas, il boit du vin. _____

6. Pour faire des crêpes, il faut de l'huile. _____

7. Je mets de la confiture sur ma tartine. _____

8. Le soir, elles mangent de la salade. _____

3 **Associez les questions aux réponses.**

1. Comment tu vas à l'école ?   **a)** Il est trois heures et quart.
2. Où est-ce qu'ils habitent ?   **b)** En autobus.
3. Pourquoi tu ne vas pas te promener ?   **c)** Si, très fatiguée.
4. Qu'est-ce que c'est ?   **d)** C'est le copain de ma sœur.
5. Quand est-ce que vous partez ?   **e)** Demain après-midi.
6. Quelle heure est-il ?   **f)** Un cadeau pour toi.
7. Qui est-ce ?   **g)** À côté de la bibliothèque.
8. Tu n'es pas fatiguée ?   **h)** Parce que je n'ai pas le temps.

4 Classez les réponses suivantes dans le tableau selon les questions.

C'est ma carte bancaire. • C'est Jennifer. • C'est une amie de maman. •
C'est une grammaire polonaise. • Ce sont des amis de l'école. • Ce sont des tableaux modernes.

Qui est-ce ?	Qu'est-ce que c'est ?

5 Complétez à l'aide de *quel, quelle, quels, quelles.*

1. _____ jour tu es libre ?

2. À _____ heure tu commences ?

3. Tu lis _____ livre ?

4. _____ copines tu invites ?

5. _____ pulls tu préfères ?

6. Tu mets _____ robe, finalement ?

Les verbes en *-ir(e)* et les verbes en *-tre / -dre*

6 Conjuguez au présent les verbes entre parenthèses.

1. Je _____ (connaître) monsieur Villard, il est professeur.

2. Tu _____ (finir) à quelle heure ?

3. Nous _____ (lire) des BD à la médiathèque.

4. Les élèves _____ (sortir) dans la cour.

5. Elles _____ (faire) les devoirs ensemble.

6. En voyage à l'étranger, vous _____ (dormir) à l'hôtel.

7. Tu _____ (dormir) beaucoup en ce moment.

8. Elle _____ (attendre) les résultats de l'examen.

9. Je _____ (ne pas conduire) la nuit.

10. On _____ (vivre) au Québec, maintenant.

7 Retrouvez la place des verbes dans les textes et conjuguez-les au présent.

lire
dormir
finir
rendre
écrire
répondre
partir

a) *Anne-Laure, étudiante, travaille deux nuits par semaine à la réception d'un hôtel.*

À la réception, elle _____ les clés aux clients et elle _____ au téléphone. La nuit est longue, alors elle étudie, elle _____ et elle _____ des mails.

Elle commence à 22 heures et elle _____ à 7 heures du matin, le jour suivant. Quand elle rentre chez elle, elle _____ quelques heures, puis elle _____ à l'université.

atterrir
faire
écrire
perdre
dormir
savoir

b) *Pierre, journaliste free-lance.*

Il _____ s'organiser.

Comme il voyage beaucoup, il _____ dans l'avion.

Comme ça, il ne _____ pas de temps ; et quand l'avion _____, il est prêt à travailler.

Il _____ beaucoup d'interviews, et il _____ ses articles à son retour.

LEXIQUE

Activités et rythmes de vie

1 Quelle heure est-il ? Écrivez l'heure de deux manières possibles.

Il est…

1. _____ / _____
2. _____ / _____
3. _____ / _____
4. _____ / _____
5. _____ / _____
6. _____ / _____

2 C'est quel moment de la journée ? Complétez, puis répondez aux questions.

1. Il est 9 heures et quart, c'est _____.
2. Il est 16 heures, c'est _____.
3. Il est 19 heures 30, c'est _____.

Quand êtes-vous le plus en forme ? Le matin ou le soir ?

_____

Quand préférez-vous sortir ? Le jour ou la nuit ?

_____

3 Associez chacun des verbes suivants à son contraire.

se coucher   s'habiller   se lever   se réveiller   s'endormir   se déshabiller

4 Complétez le texte suivant avec les verbes qui conviennent.

Nous _____ toujours tôt à la maison : à 23 heures, normalement, nous dormons.

Mais à 7 heures du matin, quand le réveil sonne, nous _____ totalement

en forme et nous _____ immédiatement. J'occupe le premier la salle de bains

pour _____, pendant que ma copine fait du café. Après, elle se prépare et moi,

je _____ très vite car je pars de la maison à 7 heures 45.

Rythmes alimentaires

5 **Répondez aux questions.**

le dîner • le goûter • le petit déjeuner • le déjeuner

1. Quel repas prend-on…

a) le matin ? _____

b) le midi ? _____

c) l'après-midi ? _____

d) le soir ? _____

2. Quel est votre repas préféré ? _____

3. Prenez-vous normalement un petit déjeuner ? _____

4. Si oui, que mangez-vous ? Des céréales ? Du pain avec du beurre et de la confiture ? Un croissant ?
_____

5. Que mange-t-on généralement dans votre pays au petit déjeuner ? Du café ? Du thé ? Du lait ?
Du café au lait ? Un jus de fruit ? _____
_____

Travail, tâches ménagères et loisirs

6 **Les loisirs de Nathan. Complétez avec *souvent*, *parfois*, *jamais*, *quelquefois* ou *toujours*.**

Je ne vais _____ danser. Je déteste ça et je danse très mal ! Le théâtre ? Je vais

_____ au théâtre, mais je n'aime pas beaucoup. Par contre, je vais _____

au cinéma. J'adore ! Et ce que je fais _____, c'est du sport. C'est ma passion. Je participe

_____ à des compétitions en amateur.

7 **Lisez les activités ci-dessous, puis classez-les dans la colonne correspondante.**

surfer sur Internet • partir travailler • mettre la table • faire de la gymnastique • laver le linge •
faire les courses • travailler (dans un bureau, une usine, une entreprise) • lire un livre •
rentrer du bureau • faire la cuisine • passer l'aspirateur • nettoyer la salle de bains •
téléphoner à des amis • aller au cinéma • repasser • regarder la télévision

activités liées au travail	activités ménagères	activités de loisirs

8 **Parmi les activités citées à l'activité 7, lesquelles faites-vous toujours, souvent, quelquefois (parfois), jamais ?**

_____
_____
_____

MON DICO PERSO
Emplois du temps

Cet espace est à vous… Élaborez votre « dico perso » au fil des unités.
Nous vous proposons d'écrire les titres correspondant à chaque catégorie de mots, mais attention, il manque des titres ! À vous de les retrouver !

À vous aussi de compléter ces catégories avec les mots de l'unité qui vous semblent utiles.

| | les activités quotidiennes | les rythmes alimentaires | | la journée de travail | |

le matin

se lever

partir au travail
rentrer du travail

Quelle heure est-il ?
Il est dix heures.

le petit déjeuner

surfer sur Internet
lire un livre

Un conseil : passez ces listes au format numérique. Vous pourrez ainsi les compléter à l'infini, les personnaliser, les emporter avec vous…

À suivre…

PRONONCIATION

3

Intonation : questions et affirmations

1 Écoutez l'enregistrement et indiquez la phrase que vous entendez.

Tu as 11 ans ?	Tu as 11 ans.
Nicolas est dans la même classe ?	Nicolas est dans la même classe.
À midi, vous restez à la cantine ?	À midi, vous restez à la cantine.
L'école finit à 4 heures moins le quart ?	L'école finit à 4 heures moins le quart.
Tu préfères l'école ?	Tu préfères l'école.
Vous êtes prêtes ?	Vous êtes prêtes.

2 Classez les phrases dans le tableau, puis vérifiez avec l'enregistrement.

1. Comment elle s'appelle ?
2. Elle s'appelle Nadine.
3. Où est-ce qu'elle va ?
4. Elle habite à Bari.
5. Quel âge elle a ?
6. Elle a 18 ans ?

Grammaire et prononciation : le singulier et le pluriel

3 Écoutez et indiquez si les verbes sont au singulier, au pluriel ou si on ne sait pas.

	1	2	3	4	5	6	7	8
singulier								
pluriel								
On ne sait pas.								

4 Écoutez et indiquez si les verbes sont au singulier ou au pluriel.

	1	2	3	4	5	6	7	8
singulier								
pluriel								

5 Écoutez les phrases au singulier et mettez-les au pluriel.

1. _____
2. _____
3. _____
4. _____
5. _____

COMPÉTENCES
ÉCOUTER

🔊 **1** Écoutez cette interview radiophonique et choisissez la réponse correcte.

1. L'animatrice reçoit…
   a) un auteur célèbre.
   b) un champion olympique.
   c) un scientifique.
2. Elle l'interroge sur…
   a) son enfance.
   b) sa famille.
   c) son quotidien.

🔊 **2** Réécoutez l'interview, puis complétez les phrases.

1. Jean Marin se lève tous les jours à _____.
2. Après son footing, il prend une _____.
3. Il prend tous les jours un _____ consistant.
4. Il _____ ses mails tous les matins.
5. Il _____ toujours avec sa femme et son fils.
6. L'après-midi, il _____ au théâtre vers _____.
7. Quand il ne fait pas la promotion d'un film, il passe le _____ avec sa famille.
8. Il va _____ au cinéma et au théâtre.

🔊 **3** Écoutez ces conversations ou messages téléphoniques et complétez le tableau.

	1	2	3
C'est un appel d'ordre professionnel.			
C'est un appel d'ordre personnel.			
La personne laisse un message sur le répondeur.			
La personne demandée est en réunion.			
C'est la mère qui répond au téléphone.			
Il / Elle attend la personne dans un café.			
Il / Elle propose à son interlocutrice d'aller au cinéma.			
Il / Elle demande à la personne de rappeler.			

PARLER

4 **Complétez le tableau. Que dites-vous pour… ?**

1. demander l'heure	
2. donner l'heure	
3. parler de vos activités quotidiennes	
4. parler de vos loisirs et dire à quelle fréquence vous les pratiquez	
5. interroger sur la profession	
6. interroger sur les activités quotidiennes	

5 **Enquête téléphonique. Réécrivez le dialogue dans le bon ordre.**

a) – Allô.
– Si c'est rapide…
– Je suis mariée.
– Oui, deux enfants de 8 et 12 ans.
– Par semaine… heu… 3 heures environ.
– Mon mari et moi, bien sûr.
– De rien, au revoir.

b) – Très bien. Et vous avez des enfants ?
– Première question : vous êtes célibataire ou vous vivez en couple ?
– Bonjour madame, je fais une enquête pour la marque *Toutpropre,* je peux vous poser quelques questions ?
– Merci beaucoup ! Au revoir, madame.
– 3 heures, d'accord… Et qui fait le ménage ?
– Combien d'heures par semaine consacrez-vous aux tâches ménagères ?

LIRE

6 Lisez le texte suivant, puis dites si les affirmations sont vraies ou fausses.

Les Français et les repas

Le rythme des repas

Les Français consacrent en moyenne 2 heures 22 par jour à l'alimentation, réparties entre les trois repas traditionnels.

En semaine, les Français se croisent dans la cuisine le matin, et le petit déjeuner est souvent pris seul, en fonction des horaires de chacun. C'est généralement le repas le moins copieux : un café ou un thé accompagné parfois d'une tartine ou de biscottes beurrées avec de la confiture ou du miel. Mais beaucoup d'adultes ne mangent pas le matin par manque de temps. Le petit déjeuner des enfants est plus équilibré, bien sûr : il se compose dans la majorité des cas de céréales accompagnées de lait et d'un jus d'orange ou bien de tartines avec du beurre et un bol de cacao. Le week-end, par contre, les Français aiment prendre le petit déjeuner en famille.

L'heure du déjeuner est assez régulière en France. En effet, à 13 heures, la moitié des Français prend son repas, le plus souvent à l'extérieur du domicile. Mais il n'est pas rare de « sauter » la pause déjeuner ou de prendre un sandwich ou une salade sur le pouce pour gagner du temps et sortir plus tôt.

Le dîner est généralement pris en famille, entre 19 heures 30 et 20 heures, et constitue un repas à part entière, avec une entrée, un plat principal et un dessert. C'est l'occasion pour les familles de se retrouver et de se raconter leur journée.

Le repas, un moment convivial

Fidèles à leur réputation, les Français apprécient la convivialité d'un repas, en famille ou entre amis. Pour beaucoup, c'est un moment agréable, un loisir, au même titre que lire ou écouter de la musique. Le repas peut aussi se prendre devant la télévision. C'est le cas surtout pour les personnes seules. Mais un plateau-télé devant un film ou une émission « grand-public » peut constituer un moment agréable, en couple ou en famille.

Source : INSEE – enquête Emploi du temps 2009-2010

	Vrai	Faux
1. Les Français font quatre repas par jour.	☐	☐
2. Le petit déjeuner est le repas le plus important de la journée.	☐	☐
3. Les Français ne prennent pas toujours le petit déjeuner ensemble.	☐	☐
4. Les enfants prennent un petit déjeuner équilibré.	☐	☐
5. Les Français déjeunent vers 14 heures 30.	☐	☐
6. La pause déjeuner correspond au repas de « midi ».	☐	☐
7. Les Français dînent léger le soir : une salade, un fruit, un yaourt…	☐	☐
8. Les Français aiment se retrouver entre amis ou en famille autour d'un repas.	☐	☐
9. Ils ne mangent pas devant la télé.	☐	☐
10. Un plateau-télé est un repas informel, pris devant la télé.	☐	☐

ÉCRIRE

7 Voici trois personnes très différentes. Composez un petit déjeuner pour chacune.

Le petit déjeuner de Sylvain	Le petit déjeuner d'Emma	Le petit déjeuner de Marina

1. _____
_____
_____
_____
_____

2. _____
_____
_____
_____
_____

3. _____
_____
_____
_____
_____

8 Vous faites un échange linguistique avec un(e) étudiant(e) français(e). Vous lui écrivez un mail pour connaître les rythmes de vie et les habitudes dans sa famille.

À : _____

Objet : échange linguistique

garder une copie   envoyer   enregistrer dans mes brouillons

9 Dictée. Écoutez et complétez.

1. Elle adore _____ le week-end.

2. Je _____ tous les soirs.

3. _____ vous partez travailler le matin ?

4. Tu _____ facilement le soir ?

5. Justin n'a pas cours _____.

6. _____ tu déjeunes ?

GRAMMAIRE

Les adjectifs possessifs

1 Indiquez s'il y a un ou plusieurs possesseurs.

1. Leur fille fait du baby-sitting.
2. Ses enfants vont à l'université.
3. Nos voisins ont deux chiens.
4. Tes professeurs sont sévères.
5. Mon mari est ingénieur.

	1	2	3	4	5
un					
plusieurs					

2 Indiquez s'il y a un ou plusieurs objets possédés.

1. Votre livre est très intéressant.
2. Leur voiture est dans le garage.
3. Tes clés sont sur la table.
4. Sa chambre est ensoleillée.
5. Nos tableaux sont colorés.

	1	2	3	4	5
un					
plusieurs					

3 Choisissez l'adjectif possessif qui convient.

1. Ils répondent à *leur / leurs* professeur.
2. Nous promenons *notre / nos* chiens.
3. Vous cherchez *votre / vos* parapluie ?
4. Elle adore *son / leurs* nouvel appartement.
5. Il est insolent avec *son / ses* parents.
6. Ils dînent dans *leur / leurs* restaurant préféré.
7. J'adore *son / ses* films.
8. *Leur / Ses* enfants sont adorables.

4 Complétez avec l'adjectif possessif qui convient.

1. Il ne connaît pas _____ voisins.
2. C'est _____ chanteur préféré. Je l'adore !
3. Comment s'appellent _____ femme et _____ fille, monsieur ?
4. Tu prends _____ médicaments tous les jours ?
5. Ils vont chez _____ parents.

Les verbes *venir, prendre, pouvoir* et les verbes en *-evoir*

5 Conjuguez au présent les verbes entre parenthèses.

1. Il a une bonne mémoire alors il _____ (retenir) facilement ses leçons.
2. Je _____ (devoir) travailler tard ce soir.
3. Je _____ (pouvoir) vous aider si vous _____ (vouloir).
4. Tu me _____ (prévenir) si tu ne _____ (pouvoir) pas venir, d'accord ?
5. Nous _____ (prendre) des cours de chinois, mais nous ne _____ (comprendre) pas le professeur.
6. Ils _____ (venir) en train ? Nous _____ (pouvoir) aller les chercher à la gare.
7. Elle _____ (recevoir) beaucoup de mails de ses amis.
8. Vous _____ (devoir) vous inscrire pour assister à la formation.

6 Quelques mots sur l'acteur français Tahar Rahim… Retrouvez la place des verbes dans le texte et conjuguez-les au présent.

tenir • recevoir • obtenir • devenir • apprendre

Il _____ célèbre en 2010 grâce au film *Un prophète*, de Jacques Audiard. Il _____ le rôle d'un jeune de 19 ans, Malik, qui _____ à devenir un homme, dans l'univers violent de la prison. Il _____ plusieurs prix pour ce rôle et _____ deux césars : le césar du meilleur espoir masculin et celui du meilleur acteur masculin. C'est une première dans l'histoire de cette institution !

Le futur proche

7 **Conjuguez les verbes de ces mini-dialogues au futur proche.**

1. – Qu'est-ce que vous _____ (faire) ce week-end ?

– Eh bien moi, je _____ (voir) une exposition de photos avec une amie.

– Ah bon, et ton mari, qu'est-ce qu'il _____ (faire) ?

– Il _____ (participer) à une compétition de tennis. Et toi, quels sont tes projets ?

2. – Tu _____ (partir) chez ta grand-mère cet été ?

– Non, cet été, on _____ (louer) une maison au bord de la mer.

– Ah bon, vous _____ (aller) où ?

– On _____ (aller) en Bretagne, si on trouve une location à un bon prix. Et toi ?

– Moi, je _____ (faire) un stage de planche à voile avec mon copain, au Pays basque.

– Super ! Vous _____ (visiter) la région aussi ?

– Bien sûr ! Et on _____ (goûter) la gastronomie locale !

Les articles contractés

8 **Complétez les phrases suivantes à l'aide d'un article contracté ou d'une préposition + article.**

1. Tu vas venir _____ réunion _____ mois prochain ?

2. Le mari _____ voisine est _____ hôpital !

3. Demande _____ enfants s'ils vont _____ cinéma demain.

4. Je vais passer _____ supermarché avant d'aller _____ pharmacie.

5. Le présentateur _____ journal de 20 h est très populaire.

6. Je vais envoyer un mail _____ frère de Lucie pour son anniversaire.

7. Les parents _____ amis de nos enfants nous invitent à l'apéritif, samedi soir.

8. Le mari _____ coiffeuse est originaire _____ village de ma mère.

Le pluriel des noms et des adjectifs

9 **Mettez les phrases suivantes au pluriel.**

1. Le fils de Marc est roux et il est très beau.

_____

2. C'est un pays merveilleux !

_____

3. Le dernier roman de Claudel est très intéressant.

_____

4. L'Anglais du troisième étage est amoureux.

_____

5. Le gâteau d'anniversaire est délicieux !

_____

6. Nous travaillons pour une entreprise internationale.

_____

LEXIQUE

Les professions

1 Lisez la liste ci-dessous et écrivez le nom de chaque professionnel, dans le secteur d'activité qui lui correspond.

l'artiste • l'avocat • le biologiste • la chanteuse • la chimiste • le chirurgien • le concepteur de jeux vidéo • le cultivateur • le dentiste • l'informaticienne • la viticultrice • la juge • le notaire • la peintre • le pharmacien • la vétérinaire • le webmaster • l'infirmier

Qui travaille dans...

1. le domaine du droit ?

_____

2. le domaine des arts ?

_____

3. le domaine de la santé ?

_____

4. l'agriculture et l'agroalimentaire ?

_____

5. la biologie, la chimie et l'industrie pharmaceutique ?

_____

6. l'informatique et les métiers de l'Internet ?

_____

La famille

2 Complétez les séries suivantes à l'aide des noms proposés.

la nièce • la fille • la petite-fille • les enfants • la grand-mère • la belle-fille • la tante • le beau-père • les beaux-parents • le père • les parents

1. l'oncle, _____, _____, le neveu

2. _____, la belle-mère, _____, le gendre, _____

3. le grand-père, _____, les grands-parents, le petit-fils, _____, les petits-enfants

4. _____, la mère, _____, le fils, _____, _____

3 Composez l'arbre généalogique de Mathilde Dupontel à partir des informations suivantes.

1. Mon mari s'appelle François.
2. Nous avons une fille et un garçon.
3. Mes parents s'appellent Albert et Michelle.
4. Ma sœur, Florence, est pacsée avec Antoine.
5. Ma sœur et mon beau-frère ont deux petites filles.
6. Mes nièces s'appellent Romane et Raphaëlle.
7. Les cousins de mes nièces s'appellent Emma et Hugo.

Les loisirs

4 **Quelles activités de loisirs illustrent ces photos ?**

1. _____

2. _____

3. _____

4. _____

5 **Jean, Luc et Thomas partent en vacances. Ils ont des caractères et des goûts très différents. Quelles activités de loisirs conseillez-vous à chacun d'eux ?**

faire du ski	jouer au football	aller à la plage
du canoë-kayak	au tennis de table	se baigner
du rafting	aux cartes	bronzer
du bateau	aux échecs	lire une revue
du surf	au basket	danser
de l'escalade		bavarder avec ses amis
de la randonnée	jouer du violon	visiter une ville
de la gymnastique	de la flûte	prendre un verre

1. Jean part au bord de la mer et il veut se reposer : je lui conseille de / d'…

_____

_____

2. Luc part à la montagne, il adore le sport : je lui conseille de / d'…

_____

_____

3. Thomas part à la campagne et il aime les loisirs calmes entre amis : je lui conseille de / d'…

_____

_____

Les saisons

6 **C'est à quelle saison et pendant quel mois ?**

1. La Saint-Valentin : _____

2. Le Tour de France : _____

3. La fête nationale française : _____

4. La fête du Travail : _____

5. Le festival de Cannes : _____

6. La Toussaint : _____

MON DICO PERSO
Le temps de vivre

Cet espace est à vous… Élaborez votre « dico perso » au fil des unités.
Nous vous proposons d'écrire les titres correspondant à chaque catégorie de mots, mais attention, il manque des titres ! À vous de les retrouver !

À vous aussi de compléter ces catégories avec les mots de l'unité qui vous semblent utiles.

les professions

les loisirs

le père

le/la professeur(e)
le/la dentiste

faire de l'escalade
faire une promenade

le printemps

l'hiver

Un conseil : passez ces listes au format numérique. Vous pourrez ainsi
les compléter à l'infini, les personnaliser, les emporter avec vous…

À suivre…

PRONONCIATION

Voyelles orales / Voyelles nasales

◄€ 1 Écoutez et soulignez le mot que vous entendez.

1. Tu cuisines des *mets / mains* succulents.
2. Ils vont faire du *saut / sont* à l'élastique.
3. Vous avez un *plat / plan* de Bordeaux ?
4. Les yaourts sont à base de *lin / lait*.
5. Combien coûte ce *pot / pont* de confiture ?
6. Le poulet au curry est son *plat / plan* préféré.
7. Cet homme est très *gras / grand*.
8. Le *pot / pont* du Gard est d'origine romaine.
9. Mes voisins *saut / sont* québécois.
10. Il y a beaucoup de *gras / grand* dans le mouton.
11. Cette veste en *lin / lait* est très jolie, mais un peu chère.
12. Ma grand-mère a de petites *mets / mains* très fines.

2 Classez les mots proposés dans l'exercice précédent selon que la voyelle est orale ([a], [o] ou [ε]) ou nasale ([ɑ̃], [ɔ̃] ou [ɛ̃]).

voyelles orales	voyelles nasales

◄€ 3 Choisissez le mot qui convient pour compléter les phrases suivantes, puis vérifiez avec l'enregistrement.

1. *plat / plan* → Vous avez vu le _____ de l'appartement ?
2. *gras / grand* → Albert est _____ et mince.
3. *pot / pont* → Sur le _____ d'Avignon, on y danse, on y danse.
4. *saut / sont* → Ils _____ fatigués, ils ne sortent pas.
5. *lin / lait* → Je prends toujours du _____ écrémé, je ne veux pas grossir.
6. *nez / nain* → Un _____ est une personne de taille anormalement petite.

◄€ 4 Écoutez et répétez.

Grammaire et prononciation : le singulier et le pluriel des verbes

◄€ 5 Écoutez et indiquez si les verbes sont au singulier ou au pluriel.

	1	2	3	4	5	6	7	8	9	10
singulier										
pluriel										

COMPÉTENCES
ÉCOUTER

1 Écoutez le dialogue et choisissez l'option correcte.

1. Les deux personnes qui parlent…
   a) se connaissent.
   b) ne se connaissent pas.
   c) sont amies.

2. Elles sont…
   a) dans un centre commercial.
   b) dans la rue.
   c) chez le médecin.

3. Elles se voient…
   a) souvent.
   b) tous les jours.
   c) très rarement.

4. Dans un premier temps, elles parlent de / des…
   a) la météo.
   b) voisins.
   c) leur famille.

5. Ensuite, elles parlent…
   a) de leur profession.
   b) de leur quartier.
   c) de leurs projets de vacances.

6. Elles vont aller…
   a) toutes les deux à la plage.
   b) toutes les deux à la montagne.
   c) l'une à la plage et l'autre à la montagne.

7. La dame part…
   a) avec ses enfants et son mari seulement.
   b) avec toute sa famille : mari, enfants, sœur, beau-frère, neveux.
   c) avec son mari, pour des vacances romantiques.

8. Le monsieur adore…
   a) la plage, se baigner et faire de la planche à voile.
   b) la montagne et faire de l'escalade.
   c) la ville, visiter des musées et des monuments.

2 Écoutez et dites à quelles professions font référence ces mini-situations.

situation 1	
situation 2	
situation 3	
situation 4	
situation 5	

3 Que dites-vous pour… ? Complétez le tableau avec les phrases suivantes.

Ils vont à la plage, ils font du surf, ils se promènent… ● Nous sommes à l'hôtel des Deux Mers. ●
Ils vont s'absenter 15 jours. ● Nous allons partir quelques jours à la montagne. ●
Voici ma cousine, Justine. ● Je pars toujours à la plage en juin. ●
En hiver, nous ne pouvons pas partir. ● Elle va partir en avion.

1. parler de projets	
2. indiquer les activités de vacances	
3. présenter un membre de votre famille	
4. indiquer la saison de l'année	
5. indiquer le mois de l'année	
6. indiquer la durée	
7. indiquer le moyen de transport	
8. indiquer le type de logement	

4 Martin a perdu ses sœurs sur la plage. Replacez les répliques du secouriste au bon endroit.

– Tu es seul sur la plage ?
– Quel âge elles ont tes sœurs ?
– Bonjour, comment tu t'appelles ?
– Tu veux un bonbon ?
– Alors on va appeler tes sœurs au micro.
  Elles vont venir te chercher.
– Qui est avec toi ?
– Quel âge tu as, Martin ?

Le secouriste : _____
Martin : Martin.

Le secouriste : _____
Martin : 7 ans.

Le secouriste : _____
Martin : Non.

Le secouriste : _____
Martin : Mes deux sœurs.

Le secouriste : _____
Martin : 15 ans et 18 ans.

Le secouriste : _____
Martin : D'accord.

Le secouriste : _____
Martin : Oui… Merci.

COMPÉTENCES

LIRE

5 **Lisez le texte ci-dessous, puis répondez par vrai ou faux.**

Blog de Charlie&co :
ma famille, mes copains, mes hobbies et... moi

Blog de la semaine : ma belle-famille

Bienvenue sur mon blog. Aujourd'hui, je vais vous parler de ma belle-famille. Tout un programme !

Pourquoi ? Eh bien parce que je viens de passer le week-end dans la maison familiale de ma femme, avec toute sa famille : ses parents, son frère, sa sœur, son mari et leurs enfants...

Ma belle-mère, Alix, adore réunir ses enfants et ses petits-enfants. Mais ce n'est pas facile car nous vivons tous dans des villes différentes et nous sommes très occupés... Moi, comme vous le savez, je suis infirmier et je travaille parfois le week-end... Audrey, ma femme, fait une formation pour devenir naturopathe. Elle a souvent cours le week-end ou bien elle doit étudier. Et nos enfants, Maxime et Julien, sont adolescents. Ils ne pensent qu'à leurs copains et passent leur temps sur Facebook. Les week-ends en famille ne les intéressent pas... Bon, c'est vrai qu'ils s'ennuient car leurs cousines sont très petites. Ce sont des jumelles et elles ont 3 ans...

Ces réunions familiales sont souvent animées : le mari de ma belle-sœur, Olivier, et mon beau-père sont très différents et au bout d'un moment, il y a des tensions : Olivier est avocat et il vient d'une famille plus aisée que celle de sa femme. Il est très sympa, mais il a tendance à tout savoir et cela irrite mon beau-père, qui veut toujours avoir raison... Ma belle-sœur, Éliane, est professeure de français. C'est une personne très gaie, comme sa mère. Elles ont beaucoup d'humour, alors grâce à elles, les tensions disparaissent rapidement. Moi, j'ai beaucoup d'affinités avec mon beau-frère Antoine. C'est le petit dernier de la famille. Il est éducateur et célibataire. On a les mêmes goûts musicaux et on adore la photo.

Contactez l'auteur
Charlie&co

Accueil du blog

Recommander ce blog

CATÉGORIES ▼

Album photos (12)

Vacances (3)

Musique (15)

Photo (7)

Voyages (10)

Les copains (4)

ARCHIVES ▼

Mars 2014 (3)

Février 2014 (15)

Janvier 2014 (5)

Décembre 2013 (8)

Novembre 2013 (2)

	Vrai	Faux
1. L'auteur du blog s'appelle Charlie ; il est infirmier.	☐	☐
2. Il est marié et il a trois enfants.	☐	☐
3. Sa femme s'appelle Audrey ; on ne connaît pas sa profession.	☐	☐
4. Ils ont un garçon et une fille, adolescents.	☐	☐
5. Leurs enfants s'amusent bien avec leurs cousines.	☐	☐
6. Ils n'aiment pas beaucoup les réunions familiales.	☐	☐
7. Sa belle-mère, Alix, déteste réunir sa famille.	☐	☐
8. Son beau-frère et sa belle-sœur s'appellent Olivier et Éliane.	☐	☐
9. Olivier est avocat et Éliane est professeure.	☐	☐
10. Olivier et son beau-père s'entendent très bien.	☐	☐
11. Le frère d'Audrey et d'Éliane s'appelle Antoine.	☐	☐
12. C'est l'aîné des trois enfants.	☐	☐

ÉCRIRE

6 Vous allez recevoir chez vous une jeune fille au pair. Lisez le mail qu'elle vous a envoyé.

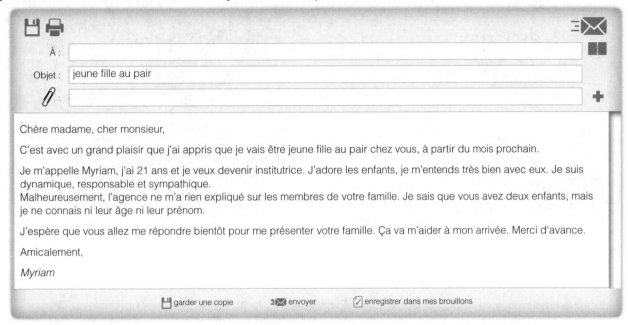

À :

Objet : jeune fille au pair

Chère madame, cher monsieur,

C'est avec un grand plaisir que j'ai appris que je vais être jeune fille au pair chez vous, à partir du mois prochain.

Je m'appelle Myriam, j'ai 21 ans et je veux devenir institutrice. J'adore les enfants, je m'entends très bien avec eux. Je suis dynamique, responsable et sympathique.
Malheureusement, l'agence ne m'a rien expliqué sur les membres de votre famille. Je sais que vous avez deux enfants, mais je ne connais ni leur âge ni leur prénom.

J'espère que vous allez me répondre bientôt pour me présenter votre famille. Ça va m'aider à mon arrivée. Merci d'avance.

Amicalement,

Myriam

garder une copie   envoyer   enregistrer dans mes brouillons

Vous répondez à ce mail pour lui présenter votre famille et vous lui envoyez une photo. Choisissez le membre de la famille qui écrit le mail.

À : myriampb@free.com

Objet :

photo.jpg

Chère Myriam,

Nous sommes très heureux de vous accueillir chez nous comme jeune fille au pair. Je vais vous parler de ma famille...

_____

_____

_____

_____

garder une copie   envoyer   enregistrer dans mes brouillons

7 Dictée. Écoutez et complétez.

En _____, je pars _____ montagne avec ma _____ pendant les

_____ de _____. Je fais du _____ tous les jours avec mon _____.

Ma sœur _____ du roller avec ses _____. Ma _____ fait des _____,

lit des _____ et des _____. Le soir, on _____ aux _____,

on _____ un film ou on _____ un verre au _____ de la station.

GRAMMAIRE

1 Choisissez parmi les trois réponses proposées, celle qui correspond à chaque dessin.

1
- **a)** Le chat est à côté du panier.
- **b)** Le chat est sous le panier.
- **c)** Le chat est dans le panier.

3
- **a)** Les livres sont sur l'étagère.
- **b)** Les livres sont sous l'étagère.
- **c)** Les livres sont dans l'étagère.

2
- **a)** La voiture est devant le restaurant.
- **b)** La voiture est derrière le restaurant.
- **c)** La voiture est en face du restaurant.

4
- **a)** L'arbre est devant la maison.
- **b)** L'arbre est à côté de la maison.
- **c)** L'arbre est derrière la maison.

2 Observez le dessin et complétez les phrases.

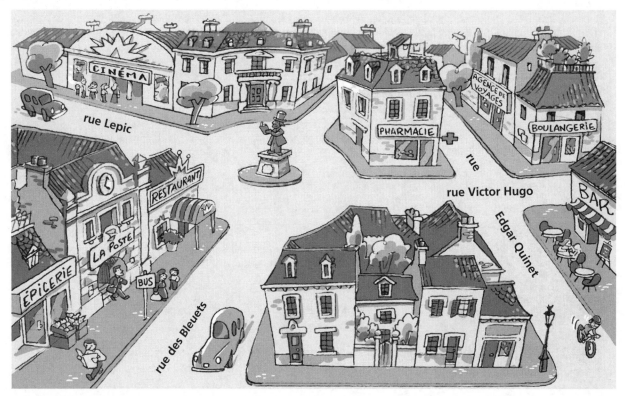

1. La statue se trouve _____ la place.
2. La boulangerie est _____ la rue Edgar Quinet et de la rue Victor Hugo.
3. Le cinéma est _____ la rue Lepic.
4. La poste est _____ le restaurant et l'épicerie.
5. L'agence de voyages est _____ la rue Edgar Quinet.
6. Le bar est _____ la boulangerie.
7. L'épicerie est _____ la poste.
8. L'arrêt de bus ? C'est facile, il est _____ la poste.

L'impératif

3 **Conjuguez les verbes à l'impératif pour donner des ordres ou des conseils.**

1. Une mère à sa fille : _____ (aller) acheter le journal, s'il te plaît !
2. Un guide de musée à des visiteurs : _____ (observer) bien ce tableau.
3. Un professeur à ses étudiants : _____ (écouter) votre camarade !
4. Un contrôleur à un voyageur : _____ (descendre) à la prochaine gare.
5. Un agent de police à un touriste : _____ (prendre) le métro, c'est plus rapide.
6. Un enfant à son frère : _____ (venir) vite, il est tard.

4 **Faites des phrases à l'impératif négatif.**

1. (tu - manger) _____ de chocolat ! Ça fait grossir.
2. (vous - prendre) _____ le métro, il y a une grève.
3. (tu - aller) _____ à la poste. Elle vient de fermer.
4. (tu - travailler) _____ trop ! Tu vas tomber malade.
5. (vous - marcher) _____ si vite ! Nous sommes fatigués.
6. (nous - aller) _____ à la plage. Il va pleuvoir.

Le passé récent

5 **Transformez les phrases suivantes au passé récent.**

1. Il prend une douche.

_____

2. Son fils passe son permis de conduire.

_____

3. Ma sœur a un bébé.

_____

4. J'achète une voiture.

_____

5. Elle part à Dijon en train.

_____

6. Alex termine ses études.

_____

Le pronom *on*

6 **Indiquez la valeur du pronom *on* dans les phrases suivantes.**

	on = nous	on = tout le monde
1. On attend les vacances avec impatience.		
2. On organise une fête samedi prochain.		
3. Dans ce restaurant, on parle anglais et italien.		
4. On va au cinéma ce soir.		
5. Quand on ne connaît pas quelqu'un, on lui dit *vous*.		
6. À la campagne, on prend le temps de vivre.		
7. On ne fume pas dans les lieux publics.		

LEXIQUE
La ville

1 **Comment préférez-vous les villes ? Soulignez vos options, puis écrivez un court texte.**

grandes	ou	petites ?
calmes	ou	animées ?
modernes	ou	anciennes ?
vertes et fleuries	ou	commerçantes et touristiques ?

Je préfère _____
_____
_____
_____

2 **Observez le dessin et complétez les phrases.**

1. Pour acheter des médicaments, je vais à la _____.

2. Pour faire une déclaration de vol, je vais au _____.

3. Pour demander des informations touristiques, je vais à _____.

4. Pour renouveler ma carte d'identité, je vais à la _____.

5. Pour garer ma voiture, je vais au _____.

6. Pour faire des études de psychologie, je vais à l'_____.

7. Pour voir une pièce de Molière, je vais au _____.

8. Pour prendre le métro, je vais à la _____.

9. Pour acheter une baguette, je vais à la _____.

10. Pour retirer de l'argent, je vais à la _____.

Les loisirs

3 **Devinez les mots correspondant aux définitions suivantes.**

1. Bâtiment où on soigne et opère les malades et les blessés : H_ _ _ _ _ _ _ _
2. Magasin où on achète du poisson et des fruits de mer : P_ _ _ _ _ _ _ _ _ _ _
3. Le pain qu'on y achète est artisanal : B_ _ _ _ _ _ _ _ _ _ _
4. Les bébés peuvent y aller à l'âge de 3 mois : C_ _ _ _ _ _
5. Les compagnies à bas prix y trouvent aussi leur place : A_ _ _ _ _ _ _ _

4 **Choisissez trois termes dans la liste suivante, pour répondre aux questions.**

l'opéra ● le jardin botanique ● le zoo ● le théâtre ● la piscine municipale ● le château ● les murailles médiévales ● le casino ● la tour ● les rues piétonnes ● le stade ● la cathédrale ● la boîte de nuit ● les monuments historiques ● le restaurant gastronomique ● le musée ● le marché de rue

Quand vous visitez une ville…

1. Quels sont vos lieux privilégiés ? _____
2. Quels sont les lieux où vous n'allez jamais ? _____

5 **Complétez le texte de la carte postale, à l'aide des mots suivants.**

plage ● ville ● boîte de nuit ● centre commercial ● cinéma ● restaurant ● magasins ● musées

Chère Pauline,

Nous sommes en vacances à Nice. Il fait très beau.

Le matin, nous allons nous baigner à la _____.

À midi, on mange au _____ et

l'après-midi, nous visitons la _____.

Il y a un grand _____ avec des

_____ très luxueux.

Il y a aussi des _____ très intéressants !

Le soir, nous allons voir un film au _____ en

plein air ou prendre un verre en terrasse. Après, on va

danser en _____. L'ambiance est géniale !!!

Bisous !

Isa et Léa

Les moyens de transport

6 **Quel est leur moyen de transport ?**

1. le motard : _____
2. le cycliste : _____
3. le pilote : _____

4. l'automobiliste : _____
5. le camionneur : _____
6. Et le piéton ? Ce sont _____

MON DICO PERSO
Vous êtes ici

Cet espace est à vous… Élaborez votre « dico perso » au fil des unités.

Nous vous proposons des rubriques qui correspondent au lexique abordé dans cette unité.
À vous de noter les mots qui vous semblent utiles pour votre « dico perso » dans chacune de ces rubriques.

N'oubliez pas que vous pouvez trouver du lexique « utile » sur toutes les pages de l'unité !

organisation

le quartier

les services publics

la mairie

les transports

le métro

La ville, c'est quoi pour vous ?

les magasins

le supermarché

espaces pour les loisirs et les sports

la piscine

Un conseil : passez ces listes au format numérique. Vous pourrez ainsi les compléter à l'infini, les personnaliser, les emporter avec vous…

À suivre...

PRONONCIATION

5

[i]-[y]-[u]

◀€ 1 Écoutez et soulignez le mot que vous entendez.

1. pour • pur • pire
2. nid • nu • nous
3. si • sur • sous
4. mou • mue • mie

5. sourd • sûr • cire
6. lu • lourd • lys
7. ri • rue • roue
8. dis • du • doux

◀€ 2 Écoutez les phrases et classez les mots suivants selon qu'ils contiennent un des sons : [i], [y], [u].

autoroute • Toulouse • bouchée • ville • musée • Aquitaine • pharmacie • sur • avenue • touristes • visitent • monuments • l'église • brasserie

[i]	[y]	[u]

◀€ 3 Écoutez et dites si les phrases que vous entendez contiennent ou non le son [y].

	oui	non
1		
2		
3		
4		
5		
6		

◀€ 4 Écoutez et répétez chaque phrase.

◀€ 5 Écoutez et complétez la transcription.

1. M__riel d__t qu'elle arr__ve samed__ à m__d__.
2. Arth__r ! __ es-t__ ?
3. V__s êtes s__rs que J__les est part__ ?
4. T__ as d__t « deux » ou « d__ze » ?
5. __l est s__r de ré__ss__r.

Grammaire et prononciation : le singulier et le pluriel des verbes

◀€ 6 Écoutez et indiquez si les phrases s'adressent à une ou à plusieurs personnes.

	1	2	3	4	5	6
une personne						
plusieurs personnes						

◀€ 7 Écoutez ces phrases et complétez la terminaison des verbes avec -ez ou -er.

1. Arrêt___ la voiture ! Vous conduis___ trop vite !
2. Pren___ la première rue à droite, puis tourn___ à gauche.
3. Le train pour Paris va arriv___ à 15 h 30, quai numéro 3.
4. Écout___ le dialogue plusieurs fois, puis répét___.
5. J'aime beaucoup invent___ des dialogues.
6. Je vais chang___ de place, je ne vois pas le tableau.

COMPÉTENCES

ÉCOUTER

1 Écoutez le dialogue et choisissez l'option correcte.

1. Les jeunes filles sont à…
- **a)** Paris.
- **b)** Marseille.
- **c)** Bordeaux.

2. Elles cherchent…
- **a)** la gare routière.
- **b)** la gare maritime.
- **c)** la gare SNCF*.

3. Elles demandent des informations à…
- **a)** une dame agent de la circulation.
- **b)** une Bordelaise** qui ne sait pas répondre.
- **c)** une touriste, puis à un Bordelais**.

*SNCF : Société nationale des chemins de fer français.
**Un(e) Bordelais(e) : un(e) habitant(e) de Bordeaux.*

4. Le Bordelais…
- **a)** pense qu'elles vont trouver très difficilement leur chemin.
- **b)** pense qu'elles vont trouver facilement leur chemin.
- **c)** conseille aux jeunes filles de demander leur chemin à une autre personne.

5. La gare SNCF…
- **a)** n'est pas indiquée.
- **b)** est bien indiquée.
- **c)** On ne sait pas.

6. Une des deux jeunes filles…
- **a)** ne se souvient plus où tourner après le feu.
- **b)** se souvient où tourner après le feu.
- **c)** se trompe de direction après le feu.

2 Il y a six erreurs dans le résumé de cette situation. Soulignez-les et corrigez-les.

Deux jeunes hommes veulent aller à la gare maritime. La première personne qu'elles interrogent habite à Bordeaux et ne connaît pas le chemin pour aller à la gare. La deuxième personne, un monsieur, connaît le chemin. C'est un peu compliqué d'aller à la gare, qui est à 400 mètres, parce qu'elle n'est pas indiquée.

PARLER

3 Que dites-vous pour... ? Reliez les colonnes.

1. demander conseil
2. localiser
3. décrire un quartier
4. exprimer son accord
5. répondre à un remerciement

a) L'hôtel de ville est sur la place.
b) Il y a un grand parc avec des commerces autour.
c) Qu'est-ce que je fais, d'après toi ?
d) De rien.
e) Avec plaisir !

4 Observez ce plan de la ville de Lyon, puis répondez aux questions.

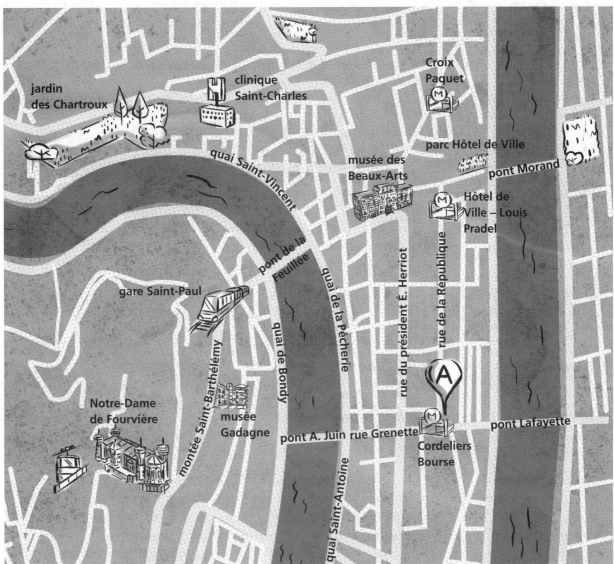

1. Aurélie veut aller visiter le musée des Beaux-Arts. Elle se trouve à la sortie du métro Cordeliers Bourse. Une passante lui indique le chemin à suivre. Que lui dit-elle ?

_____

_____

_____

_____

_____

2. Après la visite du musée, elle veut aller à Notre-Dame de Fourvière. On lui explique le chemin.

_____

_____

_____

_____

COMPÉTENCES

5 **Remettez cette conversation dans l'ordre selon le schéma proposé, puis complétez le tableau.**

1. Saluer.
2. Répondre à une salutation.
3. Demander quelque chose poliment.
4. Donner des informations.

5. Demander le chemin.
6. Indiquer le chemin.
7. Remercier et prendre congé.
8. Répondre à une prise de congé.

a) On vient d'arriver et on voudrait visiter la ville. Qu'est-ce que vous nous conseillez de voir ?
b) Merci. Et pour aller à notre hôtel ? C'est l'Hôtel Gaumont.
c) Bonjour madame !
d) Merci beaucoup et au revoir !
e) Alors, prenez cette rue jusqu'au bout, puis tournez à gauche et vous l'avez juste en face.
f) Bonjour !
g) Voici un plan de la ville avec les monuments les plus intéressants.
h) Au revoir et bonne journée !

1	2	3	4	5	6	7	8

6 **Lisez le texte ci-dessous et remplissez la fiche.**

Québec : ville de contrastes

La ville de Québec est la capitale de la province de Québec, située au nord-est de l'Amérique du Nord, entre l'Ontario à l'ouest et les provinces de l'Atlantique, à l'est.

Seule ville fortifiée de l'Amérique du Nord avec environ 523 000 habitants, elle est l'une des villes les plus prospères du pays. Elle est traversée par plusieurs rivières, mais c'est le fleuve Saint-Laurent qui est à l'origine du port touristique et commercial. Son climat tempéré d'influence atlantique se traduit par des hivers très froids (jusqu'à -35 degrés) et des étés très chauds (jusqu'à 35 degrés).

Ses 400 ans d'histoire, visibles dans la juxtaposition de constructions de style français, anglais ou nord-américain, moderne ou ancien, confèrent à la ville un caractère anachronique très intéressant et surprenant à la fois.

Son Parlement, ses bâtiments administratifs, ses institutions politiques nationales, ses places publiques commémoratives, ses monuments historiques et ses quartiers séculaires font de cette capitale un pôle d'attraction touristique passionnant.

Surnommée la « ville du théâtre », elle assure une vie culturelle remarquable et propose trois rendez-vous incontournables : le Carnaval de Québec, en hiver, le plus important du Canada, le Festival d'été de Québec consacré à la musique, et les Fêtes de la Nouvelle-France, qui permettent de repartir au XVIIe siècle.

1. Situation géographique : _____
2. Nombre d'habitants : _____
3. Climat : _____
4. Fleuve : _____

5. Origines (siècle) : _____
6. Style architectural : _____
7. Monuments à visiter : _____
8. Activités culturelles : _____

ÉCRIRE

7 Voici deux lettres mélangées et dans le désordre. Reconstituez-les.

Je viens d'arriver au Sénégal.

Aujourd'hui, nous passons la journée à Monaco.

Je commence à travailler demain à l'hôpital.

Chers papa et maman,

La principauté n'est pas très loin de Nice.

C'est très compliqué de circuler dans le centre de Dakar.

Ici, il ne fait pas froid comme à Lyon.

J'espère que ça va bien se passer.

Nous avons fait tout le circuit de Monte-Carlo.

Il fait une chaleur incroyable.

Salut Mario !

Et pour vous, ça va à Lyon ?

Je vais m'occuper du service des vaccinations.

Cet après-midi, on veut voir le musée Océanographique.

Écris-moi bientôt.

On vous raconte tout ça à notre retour.

1. _____

_____

_____

_____

_____

_____

_____

2. _____

_____

_____

_____

_____

_____

_____

8 Dictée. Écoutez et complétez.

– _____ est la poste ?

– _____ dans la _____ à _____ et _____ tout _____

jusqu'à la _____. Vous allez voir la poste _____. C'est tout _____.

GRAMMAIRE

1 **Complétez les phrases suivantes à l'aide d'un adjectif démonstratif.**

   1. Vous savez si _____ route mène à Saint-Jean-du-Gard ?

   2. Le gîte n'est pas libre pour _____ week-end. Qu'est-ce qu'on fait ?

   3. _____ appartement nous plaît beaucoup. Nous pouvons le réserver ?

   4. Regarde ! _____ chambre a une très belle vue sur le jardin !

   5. Je n'aime pas _____ salon, il est très sombre et en plus, il est très petit !

   6. _____ escalier en colimaçon a l'air dangereux.

   7. _____ armoires sont très grandes ! Je vais pouvoir ranger tous mes vêtements.

   8. _____ lit n'a pas l'air confortable, je vais avoir mal au dos demain matin.

   9. _____ acteur célèbre habite dans _____ immeuble depuis longtemps.

   10. _____ table basse est un cadeau de mes parents pour mes trente ans.

2 **Complétez les phrases à l'aide d'un adjectif démonstratif, suivi d'un des noms suivants :**
   chanson, ville, film, musée, roman, opéra.

   1. Je viens de lire *Le rapport de Brodeck.* _____ de Philippe Claudel est mon livre préféré.

   2. Tu connais *La vie en rose* ? _____ d'Édith Piaf est très connue.

   3. Je reviens de Bamako. _____ africaine a un charme tout particulier.

   4. J'ai deux billets pour *Les noces de Figaro.* _____ de Mozart est mon préféré.

   5. Tu as vu *Bienvenue chez les Ch'tis* ? _____ de Dany Boon est vraiment amusant.

   6. _____ abrite une importante collection d'œuvres impressionnistes.

3 **Écrivez des phrases avec les éléments proposés. Attention, il y a plusieurs possibilités !**

Je suis née	des	Lyon	**1.**	_____
Isabelle travaille	dans	États-Unis	**2.**	_____
Brian vient	au	Belgique	**3.**	_____
Carla est originaire	du	Italie	**4.**	_____
Michel habite	aux	Canada	**5.**	_____
Théo a une maison	à	Nice	**6.**	_____
Maria va s'installer	d'	le Limousin	**7.**	_____
Mes parents viennent	en	Baléares	**8.**	_____

4 **Complétez les phrases suivantes avec la préposition qui convient.**

   1. Val d'Isère est une station de ski très connue qui se trouve _____ Savoie.

   2. Mon père m'emmène passer des vacances _____ Bahamas. Quelle chance !

   3. Vous ne savez pas où se trouve Metz ? _____ Lorraine, voyons !

   4. Si vous venez _____ Aix-en-Provence, prenez l'autoroute A8.

   5. Il habite _____ Pérou depuis très longtemps mais il est né _____ Argentine.

   6. Si vous allez _____ Marseille, goûtez son plat typique : la bouillabaisse.

L'expression de l'obligation

5 **Associez les deux parties de chaque phrase.**

1. Pour être en forme,
2. Pour voyager au Maroc,
3. Pour entrer à l'université,
4. Pour perdre quelques kilos,
5. Pour faire une traduction,
6. Pour conduire une voiture,
7. Pour louer un gîte,

a) il faut avoir le bac.
b) il faut avoir le permis.
c) il faut faire beaucoup de sport.
d) il faut réserver à l'avance.
e) il faut un dictionnaire bilingue.
f) il faut faire un régime.
g) il faut avoir un passeport.

6 **Transformez les phrases suivantes en utilisant la structure impersonnelle *il faut*.**

1. Pour bien parler français, on doit beaucoup pratiquer.

_____

2. Pour aller au théâtre samedi soir, vous devez réserver les places à l'avance.

_____

3. Pour voyager en Chine, on doit avoir un visa.

_____

4. Pour envoyer un paquet, on doit aller à la poste.

_____

5. Pour entrer dans cette grande école, on doit passer un concours.

_____

6. Pour réussir une colocation, on doit établir des règles dès le début.

_____

Les pronoms compléments d'objet direct (COD)

7 **Associez les questions aux réponses.**

1. Vous parlez bien le français ?
2. Tu connais le père de Théo ?
3. Tu as vu les enfants ?
4. Ils aiment les pâtes ?
5. Tu as fini la lettre ?
6. Je ne trouve pas mon portable.

a) Non, mais je la termine ce soir.
b) Cherchons-le ensemble !
c) Non, je suis en train de l'apprendre.
d) Oui, je le connais. Il est très sympa !
e) Non, mais je les entends. Ils ne sont pas loin !
f) Oui ! Ils les adorent à la tomate.

8 **Remplacez les mots soulignés par le pronom qui convient.**

1. Il accompagne sa sœur à la gare. → _____
2. Marc loue son appartement cet été. → _____
3. Appelez le propriétaire pour confirmer la réservation ! → _____
4. Je relis les romans de Victor Hugo. → _____
5. Réveille les enfants ! Il est l'heure d'aller à l'école. → _____
6. Je prends ma douche le matin. → _____
7. On invite Jules et Léa à notre fête d'anniversaire ? → _____
8. Je vois mon grand-père tous les week-ends. → _____

LEXIQUE
Chercher un logement

1 Qui dit quoi ? Écoutez ces trois personnes parler du choix de leur lieu de résidence et cochez la case correspondant aux mots de chacune. Attention, les mots sont présentés dans le désordre !

	la mer	la neige	les forêts	les prés	les moutons	l'océan	les sommets	l'herbe	la plage
1									
2									
3									

2 Complétez le texte avec les mots suivants.

pièce • appartement • chauffage central • rez-de-chaussée • chambres • salle de bains • salle-à-manger • arrondissement • quartier • plantes • jardin • étages • sous-sol • cuisine • clair • cave • couloir

J'habite dans un _____ calme, dans le 20ᵉ _____ de Paris. Mon _____ se trouve au _____ d'un immeuble de six _____. La _____ équipée est à droite de l'entrée. À gauche, c'est la _____ avec vue sur un petit _____. J'ai deux _____ assez spacieuses et une petite _____ qui me sert de bureau. Au fond du _____ se trouvent les toilettes et la _____.

J'aime bien mon appartement. Il est très _____ et j'ai beaucoup de _____. Je n'ai pas de garage, mais j'ai une _____ au _____ où je range mon vélo. Comme j'ai le _____, je suis bien chauffé.

3 Devinettes : lisez les définitions suivantes et dites de quoi il s'agit.

1. C'est un grand bâtiment à plusieurs étages et plusieurs appartements. → _____
2. C'est un petit appartement constitué d'une seule pièce. → _____
3. C'est une somme d'argent que le locataire paye au propriétaire. → _____
4. On doit le prendre quand l'ascenseur est en panne. → _____
5. C'est la pièce où on prépare les repas et où on mange si elle est grande. → _____

4 Trouvez les mots correspondant aux abréviations suivantes.

1. étg. : _ _ _ _
2. asc. : a _ _ _ _ _ _ _ _
3. pisc. : p _ _ _ _ _ _
4. rdc : r _ _ - _ _ - _ _ _ _ _ _

5. cuis. : c _ _ _ _ _
6. Sdb : s _ _ _ _ _ _ _ _ _ _
7. imm. : i _ _ _ _ _ _ _
8. pces : p _ _ _ _ _

Meubler et équiper son logement

5 **Classez ces objets dans la pièce qui convient. Certains peuvent aller dans plusieurs pièces.**

table • lit • armoire • cuisinière • table de nuit • lave-linge • lavabo • tapis • fauteuil • évier • baignoire • commode • étagère • fauteuil • table basse • four à micro-ondes • lampe • chaise

la cuisine	le salon	la salle à manger	la chambre	la salle de bains

6 **Complétez le dessin : notez la lettre correspondant à chaque meuble ou objet.**

a) un grille-pain

b) un four à micro-ondes

c) une cuisinière électrique

d) un placard

e) un lave-linge

f) un évier

g) un lave-vaisselle

h) un réfrigérateur

i) une cafetière

7 **Choisissez l'option correcte.**

1. *La machine à laver / Le four / L'aspirateur* sert à laver le linge.

2. *La bouilloire / Le grille-pain / Le frigo* sert à conserver les aliments.

3. *La cafetière / Le sèche-cheveux / Le sèche-linge* sert à se sécher les cheveux.

4. *Le mixeur / Le fer à repasser / Le gaufrier* sert à repasser le linge.

5. *Le lave-vaisselle / Le lave-linge / Le micro-ondes* sert à laver les assiettes et les couverts.

8 **Écrivez les adjectifs ordinaux en lettres.**

1. Au Canada, on appelle un cocktail très prisé la _____ (8e) merveille du monde.

2. Il habite dans le _____ (19e) arrondissement.

3. Ils ont déjà un petit garçon de trois ans et leur _____ (2e) enfant va naître au printemps.

4. Cette petite église a été construite au _____ (13e) siècle.

5. Le festival de musique classique fête sa _____ (40e) édition cette année.

MON DICO PERSO
À louer

Cet espace est à vous… Élaborez votre « dico perso » au fil des unités.

Nous vous proposons des rubriques qui correspondent au lexique abordé dans cette unité.
À vous de noter les mots qui vous semblent utiles pour votre « dico perso » dans chacune de ces rubriques.

N'oubliez pas que vous pouvez trouver du lexique « utile » sur toutes les pages de l'unité !

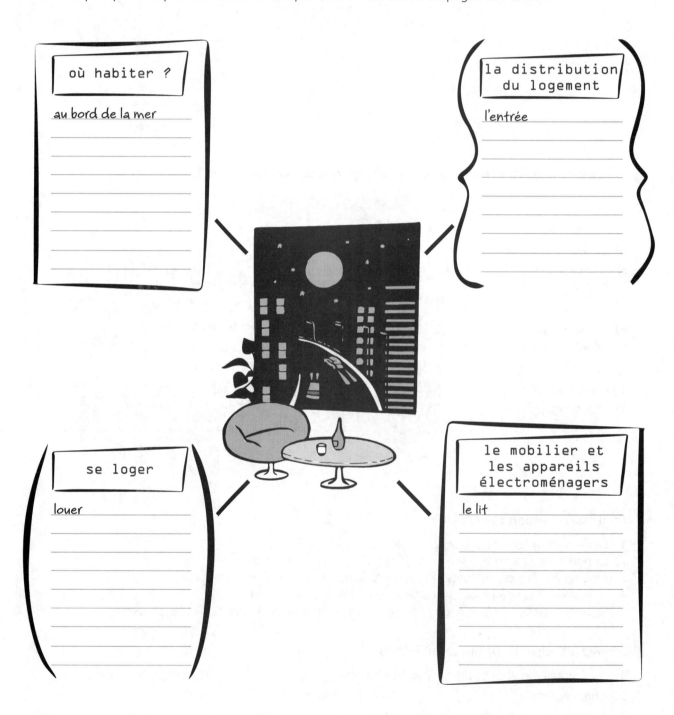

où habiter ?

au bord de la mer

la distribution
du logement

l'entrée

se loger

louer

le mobilier et
les appareils
électroménagers

le lit

Un conseil : passez ces listes au format numérique. Vous pourrez ainsi
les compléter à l'infini, les personnaliser, les emporter avec vous…

À suivre…

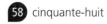

PRONONCIATION

[ɛ]-[e]-[ø]

1 Écoutez et cochez la case correspondante.

	1	2	3	4	5	6
[e]						
[ɛ]						

	1	2	3	4	5	6
[e]						
[ø]						

2 Écoutez.

1. Classez les mots selon qu'ils contiennent le son [e] comme « équipée », [ɛ] comme « elle », [ø] comme « peu ».

clair ● jeu ● étage ● banlieue ● cette ● mer ● il veut ● jeudi ● près ● vous avez ● acheter ● téléphone

2. Quelles graphies correspondent à ces trois sons ?

[e]	[ɛ]	[ø]
graphies :	graphies :	graphies :

3 Choisissez le mot qui convient pour compléter les phrases. Ils se prononcent de la même façon, mais l'orthographe est différente !

1. *peut / peu / peux*

   a) Il est un _____ fatigué mais il continue à travailler.

   b) Tu ne _____ pas venir avec nous ? Dommage !

   c) Il est débordé, il ne _____ pas nous aider à déménager.

2. *eux / œufs*

   a) Tu connais l'expression : « On ne fait pas d'omelette sans casser des _____ » ?

   b) Finalement, tu pars avec nous ou avec _____ ?

3. *vœux / veut / veux*

   a) Il _____ partir en vacances mais il n'a pas d'argent.

   b) À Noël, j'aime beaucoup envoyer des cartes de _____.

   c) Je ne _____ pas partager mon appartement avec d'autres personnes.

4. *mai / mais / mets*

   a) J'adore Paris au mois de _____ !

   b) Il est timide _____ très sympa quand tu le connais.

   c) _____ ton manteau et va acheter le pain !

Grammaire et prononciation : les adjectifs démonstratifs

4 Écoutez et complétez avec *ce* ou *ces*.

1. _____ logement est idéal pour une famille.

2. _____ canapés, confortables ?

3. Il revient d'Inde où il a acheté _____ joli tapis.

4. _____ salon, moderne ? Moi, je le trouve démodé.

5. Il veut repeindre _____ murs en blanc.

6. Ils ont décidé de louer _____ studio.

COMPÉTENCES
ÉCOUTER

1 Voici des éléments de la description que vous allez entendre.

un hamac   des oiseaux   une vache dans un pré   un bateau

2 Écoutez la description de ce paysage et dessinez-le. Ensuite, comparez votre dessin au dessin qui se trouve à la fin du cahier (livret « Corrigés »).

3 Qui peut dire ces phrases ? Écoutez, puis cochez la case correspondante pour chaque phrase.

	1	2	3	4	5
a) Un employé d'agence de voyage à son client.					
b) Un ami à un(e) ami(e) qui cherche un appartement.					
c) Un client à un employé d'agence immobilière.					
d) Une cliente qui s'informe sur la disponibilité d'un gîte rural.					
e) Un ami qui visite le nouvel appartement d'un ami.					

PARLEr

4 Que dites-vous pour… ? Faites correspondre.

1. décrire un logement
2. demander des informations
3. exprimer l'obligation
4. donner des conseils

a) Y a-t-il un lave-vaisselle ?
b) Vous devez envoyer une caution.
c) La terrasse est au premier étage.
d) N'attendez pas la dernière minute.
e) Il faut envoyer un chèque.
f) Évitez la route nationale.
g) Est-ce qu'il se trouve loin du village ?
h) Il y a un lave-linge dans la salle de bains.
i) Il vaut mieux prendre l'autoroute.

5 Organisez cette conversation en suivant le schéma proposé, puis complétez le tableau.

Schéma :

1. Répondre au téléphone.
2. Saluer et demander confirmation à l'interlocuteur.
3. Confirmer et demander l'objet de l'appel.
4. S'informer sur la disponibilité de la maison.
5. Répondre affirmativement à la demande de disponibilité, après vérification.
6. Demander de faire la réservation.
7. Demander le nom de la personne qui fait la réservation.
8. Donner le nom.
9. Demander le nombre total de personnes.
10. Répondre à la question sur le nombre de personnes.
11. Demander de payer une avance pour confirmer la réservation.
12. Répondre à la demande de paiement.
13. Répondre au remerciement et remercier.
14. Prendre congé.

Conversation :

a) – 5 personnes : 3 adultes et 2 enfants.
b) – Très bien. Merci, monsieur. Au revoir.
c) – Allô.
d) – Allô. Bonjour. C'est le gîte rural du Médoc ?
e) – Attendez, je regarde… Oui, oui, c'est bon pour cette date.
f) – Merci à vous, au revoir.
g) – Bon, alors je réserve pour ce week-end-là.
h) – Entendu. Je vous envoie un chèque.
i) – Je voudrais savoir si la maison est disponible pour le week-end du 15 juillet.
j) – M. Roulai, Christian.
k) – Oui, c'est ça. Je vous écoute…
l) – Très bien. Pour confirmer votre réservation vous devez avancer 20 % du montant avant le 30 juin.
m)– Vous serez combien, au total ? C'est pour l'assurance, vous savez.
n) – Vous vous appelez comment ?

1	2	3	4	5	6	7	8	9	10	11	12	13	14
c)													

COMPÉTENCES
LIRE

6 Lisez les portraits de ces trois amis parisiens qui veulent partir quelques jours ensemble.

Bastien est dynamique. Il a horreur des voyages organisés car il préfère les préparer lui-même et il adore conduire.
Il n'aime pas obéir aux ordres de quelqu'un ni décider les choses à la dernière minute.
Il a un tempérament d'artiste et aime les arts graphiques en général.

Arnaud est un peu paresseux. Il n'aime pas se compliquer la vie et préfère des solutions faciles. Il accepte facilement qu'on organise les choses pour lui.
Il aime bien goûter les spécialités culinaires des endroits qu'il visite. Il fait des études d'architecture et il ne peut pas depenser beaucoup d'argent.

Chloé est une fille active, elle aime l'aventure, déteste les longs voyages, et elle n'organise jamais rien à l'avance. Aussi, elle déteste suivre des groupes de touristes. Elle préfère marcher dans les rues et les jardins et visiter la ville avec un plan à la main. Elle a envie de voir ou de découvrir des choses originales.

7 Associez chaque personne à une des publicités suivantes.

OPTION A

À ne pas manquer !

Notre compagnie vous offre un service sérieux de vols réguliers avec Françair… Des offres très intéressantes, irrésistibles !

✈ **Paris-Marrakech**
Paris-Essaouira
Paris-Agadir

Profitez de nos tarifs spéciaux pour familles, groupes, étudiants…

OPTION B

Un week-end de rêve Paris-Marrakech !

3J/2N – Hôtel Médina ★ ★

Avion + hôtel + petits déjeuners + guide touristiques + déplacements

Offre exceptionnelle : nous consulter

OPTION C

Marrakech

Situation : la médina
Hôtel 2 ★★

À partir de **54 €** ▶

Possibilité de louer une voiture ou d'organiser des excursions sur place.

8 Quels arguments correspondent à chaque étudiant ?

1. On va certainement trouver un hôtel à Marrakech à cette époque de l'année : il ne faut pas réserver à l'avance.
2. Un hôtel deux étoiles, c'est bien. Et on peut demander une chambre pour trois personnes.
3. On pourra louer une voiture pour visiter les environs.
4. Je n'ai pas envie de perdre du temps à chercher un hôtel.
5. Avec un groupe de touristes, on peut faire des rencontres intéressantes.
6. Si on va à Marrakech, on doit visiter les palais et les mosquées. J'adore l'art islamique !
7. Je n'aime pas être dans un groupe de touristes.
8. Avec un guide touristique, on profite mieux des visites des monuments et on ne doit pas regarder sur les livres pour se renseigner.
9. Il faut absolument aller manger une pastella !
10. Moi, je veux me promener dans la médina, m'enivrer du parfum des épices, c'est bien le charme de Marrakech !
11. Je vais me renseigner sur les excursions à faire depuis Marrakech.
12. Il paraît que les jardins Majorelle sont un endroit unique !

	1	2	3	4	5	6	7	8	9	10	11	12
Bastien												
Arnaud												
Chloé												

9 Vous voulez échanger votre maison. Vous avez trouvé l'annonce suivante.

Ma femme, mes trois enfants et moi-même, nous habitons à Sainte-Foy, village du Bas-Armagnac dans les Landes. Notre maison est entièrement rénovée. Elle se compose de 4 chambres, 1 salle de bains, 1 salle d'eau, 2 W.-C., un séjour / salle à manger de 45 m², une cuisine indépendante. Le tout sur un terrain de 1000 m². Idéale pour vacances en famille, au calme et dans la nature.

Nous recherchons avant tout un logement pouvant nous accueillir tous les 5 pendant les vacances scolaires d'avril, de préférence au bord de la mer ou à la montagne. Toute autre proposition est à étudier.

Contact : toutbon@gmaman.fr

Écrivez un mail pour répondre à cette annonce. Donnez des informations (ville / village, type de maison, caractéristiques…), puis demandez des informations sur les endroits à visiter à proximité et les activités de loisirs à faire sur place. Vous avez un chien et vous voulez savoir si les animaux sont acceptés.

GRAMMAIRE

1 **Associez les questions aux réponses.**

1. Marc a encore des contacts avec ses amis d'enfance ?
2. Je vous sers un peu de vin ?
3. Est-ce que vous avez autre chose à dire ?
4. Tu as téléphoné à tes parents pour les inviter à dîner ?
5. De quoi parle ce documentaire ?

a) Oui, mais c'est bizarre… il n'y a personne.
b) Non, je n'ai rien à ajouter. Mon exposé est terminé.
c) Non, je crois qu'il ne les voit plus.
d) Je ne sais pas, je ne comprends rien sans les sous-titres.
e) Non merci, je ne bois jamais d'alcool.

2 **Mettez les éléments dans le bon ordre.**

1. plus / je / vais / université / ne / l' / à

2. ne / le / il / jamais / week-end / travaille

3. rien / dans / tu / cette / n' / boutique / aimes

4. ce / ne / à / personne / voisin / parle

5. ne / plus / elle / de / prend / français / de / cours

3 **Répondez à la forme négative.**

1. Tu veux boire quelque chose ?

2. Tu habites toujours à Lyon ?

3. Vous allez souvent à l'opéra ?

4. Vous connaissez des gens dans cette ville ?

5. Il y a quelque chose d'intéressant à la télévision ?

4 **Complétez les phrases avec *être en train de…* ou *être sur le point de…***

1. Les enfants, ne faites pas de bruit ! Votre mère _____ faire la sieste.
2. Éteignez vos portables ! Le spectacle _____ commencer.
3. Je ne peux pas t'accompagner maintenant, je _____ faire mes devoirs.
4. Dépêchez-vous ! Le train _____ partir !

5 **Transformez les phrases suivantes avec *être en train de…* ou *être sur le point de…***

1. Les enfants regardent la télévision en ce moment.

2. Le TGV en provenance de Lyon et à destination de Paris va entrer en gare, voie 8.

3. Je prépare une salade composée pour le dîner.

4. Le professeur termine son cours dans deux minutes.

5. Je révise la physique pour l'examen de demain.

Le passé composé

6 Complétez ce texte sur Vanessa Paradis au passé composé.

Vanessa Paradis, chanteuse et actrice française, _____ (naître) le 22 décembre 1972 dans le Val-de-Marne, près de Paris où elle _____ (passer) son enfance et son adolescence. Elle _____ (faire) sa première apparition télévisée à l'âge de 8 ans, dans l'émission « L'école des fans », où elle _____ (interpréter) le titre « Émilie Jolie ». En 1987, à 14 ans, elle _____ (sortir) son premier disque, « Joe le taxi », qui _____ (connaître) un grand succès sur tous les continents. Elle _____ (enregistrer) plusieurs albums et _____ (travailler) avec de grands artistes comme Serge Gainsbourg, Lenny Kravitz ou Matthieu Chedid.

Elle _____ (tourner) également dans de nombreux films comme « Noce blanche » en 1989, « Élisa » en 1995, « La fille sur le pont » en 2004 ou « l'Arnacœur » en 2010. Elle _____ (recevoir) plusieurs prix et récompenses pour ses chansons et ses rôles au cinéma. Concernant sa vie privée, elle _____ (être) pendant 14 ans la compagne de l'acteur américain Johnny Depp, avec qui elle _____ (avoir) deux enfants.

7 Complétez le texte suivant à l'aide des participes passés des verbes ci-dessous.

commencer • s'installer • obtenir • venir • naître • devoir •
rencontrer • décider • passer • avoir • faire • voir • prendre • finir

Je suis _____ en Guadeloupe en 1980 et j'ai _____ mon bac sur cette île. Je voulais être pédiatre alors je suis _____ à Paris à l'âge de 18 ans. Quel changement ! En Guadeloupe, il fait toujours chaud et au début, j'ai _____ du mal à m'habituer au climat parisien : j'ai _____ m'acheter des vêtements chauds pour l'hiver.

Cela peut paraître incroyable, mais la première fois que j'ai _____ la neige, j'avais 20 ans : pendant des vacances avec des amis dans les Alpes. À Paris, j'ai d'abord _____ une chambre dans une résidence universitaire et puis j'ai _____ Thibaut, mon mari, chez des amis.

On a _____ à sortir ensemble, puis on a _____ de vivre ensemble et nous nous sommes _____ dans un petit studio.

J'ai _____ mes études de médecine en 1999. Ensuite, j'ai _____ un stage dans un hôpital, dans le service de pédiatrie et j'ai _____ un poste dans ce service.

8 *Être* ou *avoir* ? Complétez les phrases suivantes à l'aide de l'auxiliaire qui convient.

1. Hier soir, Laurie _____ sortie danser avec ses amies jusqu'à 5 h du matin.
2. L'été dernier, nous _____ passé nos vacances dans le nord de l'Italie.
3. Mon père _____ descendu à la cave pour chercher une bonne bouteille de vin.
4. Bastien _____ retourné au bureau après le déjeuner pour terminer un travail.
5. Nous _____ descendu les rapides en canoë-kayak.
6. Yvan _____ passé par le lac pour rentrer chez lui parce que c'est plus court.
7. Il _____ rentré la voiture dans le garage pour la nuit.
8. Tu _____ monté de vieilles affaires de ta grand-mère au grenier.

LEXIQUE
Les âges de la vie

1 **Associez chacun des verbes suivants à son contraire.**

naître • se séparer • vieillir • déménager • divorcer • se marier • s'installer • grandir • vivre avec • mourir

_____naître_____ / _____   _____ / _____   _____ / _____

_____ / _____   _____ / _____

2 **Devinettes : lisez les phrases suivantes et dites de quoi il s'agit.**

1. C'est la période de la vie que l'on dit la plus heureuse : _____.

2. Pendant cette période de la vie, on aime être entouré de ses enfants et petits-enfants : _____.

3. Les parents et toute la famille accueillent avec joie le nouveau venu ou la nouvelle venue : _____.

4. On n'aime pas apprendre cette nouvelle qui rend triste : _____.

5. Pendant cette période, on devient majeur(e) : _____.

3 **Complétez les faire-part avec les mots correspondant à chaque situation.**

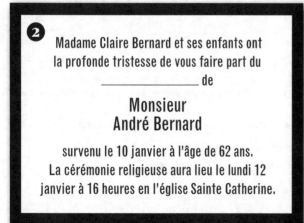

❶ Nous avons l'immense joie de vous faire part de la _____ de notre petit Mathis.

❸ C'est avec joie que nous vous invitons à assister à notre

_____

qui aura lieu le 10 juillet à 11 heures à la mairie de Périgueux.

❷ Madame Claire Bernard et ses enfants ont la profonde tristesse de vous faire part du _____ de

Monsieur André Bernard

survenu le 10 janvier à l'âge de 62 ans. La cérémonie religieuse aura lieu le lundi 12 janvier à 16 heures en l'église Sainte Catherine.

❹ Chers collègues, pour fêter mon départ à la

_____,

je vous invite à venir partager le verre de l'amitié à la cafétéria de l'entreprise. Je compte sur votre présence.

4 **Associez une des expressions suivantes à un faire-part.**

a) ☐ Mes sincères condoléances !   **b)** ☐ Félicitations !   **c)** ☐ Vive les mariés !

Les études

5 Lisez les définitions suivantes concernant les études et retrouvez les mots correspondants dans la grille.

1. Enseignement d'un professeur.
2. Établissement où les enfants reçoivent des cours.
3. Établissement d'enseignement secondaire du second cycle.
4. Recommencer la même année d'études.
5. Étudier en vue d'un examen.
6. Établissement d'enseignement supérieur.
7. Épreuve, contrôle.

L	R	L	A	T	C	P	F	S	K
E	E	A	C	K	V	D	A	U	R
C	D	C	O	U	R	S	C	E	E
O	O	O	E	K	N	I	U	X	V
L	U	T	X	J	I	B	L	S	I
E	B	I	A	C	U	L	T	A	S
M	L	D	M	L	Y	C	E	E	E
O	E	L	E	P	M	G	U	X	R
R	R	Z	N	A	C	B	R	J	I

6 La vie de Marc. Complétez le texte suivant à l'aide des mots de la liste ci-dessous.

redoubler • études • resto U • examens • révise • année • hôpital • réussir • cours

Il se lève tôt car ses _____ commencent à huit heures du matin. Il fait des _____ de médecine et il est en quatrième _____. Alors, tous les après-midis, il va à l'_____ pour son stage. À midi, il n'a pas le temps de rentrer chez lui et il déjeune au _____. Le soir, il _____ ses notes de cours et il prépare les _____, qui sont très fréquents. Il préfère travailler régulièrement pour _____ à la fin de chaque année scolaire et ne pas _____, parce qu'il a envie de finir ses études très vite.

La vie professionnelle

7 Associez les expressions de sens proche.

1. prendre sa retraite
2. être stagiaire
3. trouver un emploi
4. avoir un revenu
5. être au chômage
6. chercher un emploi
7. être licencié(e)

a) être embauché(e)
b) chercher un travail
c) être renvoyé(e)
d) faire un stage
e) partir à la retraite
f) toucher un salaire
g) être chômeur(/euse)

8 Marie vient d'être engagée. Voici, dans le désordre, les différentes étapes de son processus de recrutement. Mettez-les dans l'ordre et ajoutez les connecteurs temporels.

n° ____ : _____, j'ai passé deux entretiens très longs.

n° ____ : _____, j'ai été présélectionnée dans une entreprise.

n° ____ : _____, j'ai envoyé mon curriculum à beaucoup d'entreprises.

n° ____ : _____, j'ai cherché des offres d'emploi sur Internet.

n° ____ : _____, j'ai été embauchée comme directrice commerciale.

MON DICO PERSO
C'est la vie !

Cet espace est à vous… Élaborez votre « dico perso » au fil des unités.

Nous vous proposons des rubriques qui correspondent au lexique abordé dans cette unité.
À vous de noter les mots qui vous semblent utiles pour votre « dico perso » dans chacune de ces rubriques.

N'oubliez pas que vous pouvez trouver du lexique « utile » sur toutes les pages de l'unité.

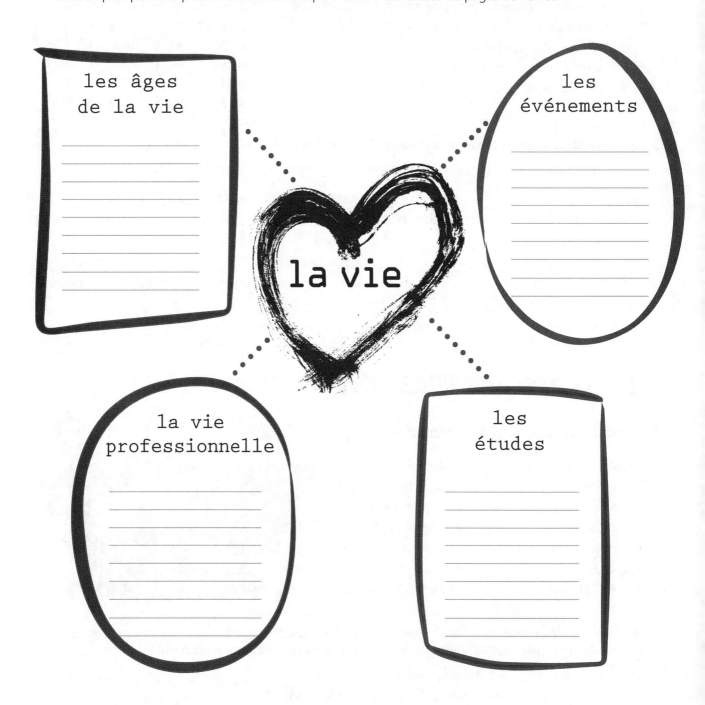

les âges
de la vie

les
événements

la vie

la vie
professionnelle

les
études

Un conseil : passez ces listes au format numérique. Vous pourrez ainsi
les compléter à l'infini, les personnaliser, les emporter avec vous…

À suivre…

PRONONCIATION

[ɛ]-[œ]-[ɔ]

◁》1 [ɛ] / [œ]. Écoutez et dites si les mots que vous entendez sont identiques ou différents.

	1	2	3	4	5	6	7	8
=								
≠								

◁》2 [œ] / [ɔ]. Écoutez et dites si les mots que vous entendez sont identiques ou différents.

	1	2	3	4	5	6	7	8
=								
≠								

◁》3 Écoutez et répétez les phrases enregistrées.

◁》4 Choisissez le mot qui convient pour compléter les phrases, puis vérifiez avec l'enregistrement.

1. Elle passe ses vacances au _____ de la mer.
2. Les croissants au _____, c'est délicieux !
3. Ce petit _____ de pêcheurs a un charme particulier.
4. Beaucoup de personnes ont _____ de l'avion.
5. Alexandra est généreuse, elle a le _____ sur la main.
6. C'est important d'écouter son _____ pour être en bonne santé.

bord   beurre

corps   peur

cœur   port

◁》5 Écoutez et classez les mots selon qu'ils contiennent le son [ɛ] de « mère », [œ] de « sœur », [ɔ] de « fort » ou [o] de « beau ». Soulignez ensuite les graphies qui correspondent à chaque son.

[ɛ]	[œ]	[ɔ]	[o]

6 Complétez les mots suivants à l'aide d'une graphie du son [œ], puis réfléchissez à l'orthographe de ce son.

1. Il est s___l à la maison, mais il n'a pas p___r.
2. C'est ma s___r, elle a n___f ans.
3. Vous pouvez me dire l'h___re ?
4. Arrêtez ! J'ai mal au c___r !

Conclusion : le son [œ] peut s'écrire « _____ » ou « _____ ». Ces lettres sont toujours suivies d'une

_____.

Grammaire et prononciation : négation et passé composé

◁》7 Écoutez et dites si vous entendez la négation devant le verbe.

	1	2	3	4	5	6	7	8
oui								
non								

◁》8 Écoutez et dites si les verbes sont au présent ou au passé composé.

	1	2	3	4	5	6	7	8
présent								
passé composé								

COMPÉTENCES
ÉCOUTER

🔊 **1** Premier jour de travail. Écoutez le dialogue et répondez aux questions.

	Vrai	Faux
1. Gwendoline revient de son travail.	☐	☐
2. Elle a commencé aujourd'hui.	☐	☐
3. Elle est arrivée en retard pour son premier jour de travail.	☐	☐
4. Elle est allée au bureau en voiture.	☐	☐
5. Elle a connu ses collègues de travail.	☐	☐
6. Comme elle est nouvelle, elle a déjeuné toute seule.	☐	☐
7. Elle va signer son contrat la semaine prochaine.	☐	☐
8. Elle a assisté à une réunion.	☐	☐
9. Elle a découvert le programme informatique sur lequel elle va travailler.	☐	☐
10. Son ami lui a préparé une surprise pour fêter son premier emploi.	☐	☐

🔊 **2** Écoutez à nouveau le dialogue et écrivez les verbes qui manquent dans cet extrait.

– Eh bien raconte-moi !

– Ben, j'_____ la connaissance de mes nouveaux collègues.

– Ils sont sympas ?

– Oui, très sympas ! On _____ ensemble à midi. Je _____
au bureau du personnel et j'_____ mon contrat.

– Et tu _____ à travailler ?

– Oui ! J'_____ à une réunion ! J'_____ beaucoup de notes
et j'_____ comme j'_____… Ah ! Et je _____
avec le programme informatique de l'entreprise. Et toi, tu _____ une bonne journée ?

PARLER

3 Mettez en relation les éléments qui vont ensemble. Complétez la grille.

1. Je te sers un café ?
2. Mon chien a disparu !
3. Vous êtes disponible le mercredi 23 à 17 h ?
4. Mon fils a eu son bac !
5. Tu fermes et tu appuies sur le bouton rouge.
6. Je n'ai pas aimé le livre que tu m'as conseillé !
7. Tu as 20 minutes de retard !
8. Nous attendons un bébé !

1.	
2.	
3.	
4.	
5.	
6.	
7.	
8.	

a) Voyons...
b) Ça alors, incroyable !
c) Désolé(e)...
d) C'est facile !
e) Félicitations !
f) Ne t'inquiète pas !
g) C'est bien !
h) Avec plaisir !

4 Un journaliste a interviewé un jeune champion de judo mais il ne reste que les réponses ! Retrouvez les questions.

Le journaliste : Bonjour Anthony Dester. Vous êtes champion du monde de judo. _____

_____ ?

Anthony Dester : J'ai gagné six médailles d'or.

Le journaliste : _____ ?

Anthony Dester : J'ai commencé le judo à l'âge de 5 ans.

Le journaliste : _____ ?

Anthony Dester : J'ai intégré l'équipe de judo de haut niveau à 13 ans.

Le journaliste : _____ ?

Anthony Dester : Oui, mes parents m'ont encouragé.

Le journaliste : _____ ?

Anthony Dester : Bien sûr, j'ai continué mes études en parallèle.

Le journaliste : _____ ?

Anthony Dester : J'ai suivi ma scolarité à Paris, dans le 20e arrondissement.

Le journaliste : _____ ?

Anthony Dester : Mon modèle a été mon entraîneur.

Le journaliste : Merci beaucoup Anthony, bonne continuation !

5 Situation. Vous rencontrez un(e) ami(e) d'enfance par hasard. Racontez-lui ce que vous avez fait pendant ces quinze dernières années.

COMPÉTENCES
LIRE

6 Lisez cette interview du magazine *Vedettes*.

« TROYEN »
les débuts d'une carrière prometteuse

Marko et Mattéo sont jeunes, beaux et ils ont un brillant avenir devant eux. Ce duo est la dernière découverte de Soundisk. Ils nous racontent...

Vedettes : Vous avez commencé très jeunes dans le monde de la chanson, n'est-ce pas ?

Marko : Oui, moi, j'avais 9 ans la première fois. Mes parents m'ont inscrit à un concours de chant pour enfants et j'ai continué. Ensuite, j'ai fait de la publicité pour « Fringons ». Enfin, un jour, Jacques Débusqueur m'a appelé et voilà.

Vedettes : Et vous Mattéo ?

Mattéo : Pour moi, ça a été différent. J'avais 13 ans quand ma mère m'a proposé de faire une petite campagne publicitaire. On m'a demandé de chanter une courte chanson et ça m'a plu.

Vedettes : Ça a été difficile au début ?

Marko : Non, parce que la chanson m'a toujours intéressé. J'ai souvent chanté et dansé dans les fêtes de famille, alors le faire devant un grand public, ça ne m'a pas impressionné et j'ai trouvé ça agréable. Surtout que ma famille m'a aidé, ma mère en particulier.

Mattéo : Pour moi ça a été difficile, j'ai dû prendre des cours de chant et de musique très vite. Après, j'ai rencontré Marko. On a fait de la musique ensemble et on a décidé de monter notre groupe.

Vedettes : Que pensent vos familles de votre succès ?

Mattéo : Pour ma mère, c'est génial. Elle me dit que je vis un rêve.

Marko : Mes parents pensent que j'ai du talent. Alors, c'est normal pour eux.

Vedettes : Vous venez de sortir un nouvel album très joyeux, « Un cœur qui bouge », vous parlez de vous ?

Marko : Un peu, oui. Nous sommes des personnes enthousiastes et nous voulons transmettre cette énergie dans nos chansons. On préfère parler de choses belles et agréables. Les gens ont déjà assez de problèmes.

Vedettes : Quels sont vos projets immédiats ?

Mattéo : On a participé au tournage d'une publicité. En plus, on travaille pour la promotion de notre dernier album : on va le présenter avec des concerts un peu partout en France.

Vedettes : Et à l'étranger ?

Marko : On est déjà allés en Italie et au Portugal. Le public était enthousiaste et formidable. On va bientôt commencer des tournées en Espagne.

Caroline Quebout, *Vedettes*, 29 février.

7 De qui sont les phrases suivantes ?

	Marko	Mattéo
1. J'ai commencé assez tôt à travailler dans le monde de la publicité.	☐	☐
2. J'ai été contacté par Jacques Débusqueur.	☐	☐
3. Je n'avais pas d'expérience dans le monde de la chanson.	☐	☐
4. J'aimais m'exhiber devant les autres pendant mon enfance.	☐	☐
5. J'ai commencé tard les cours de musique et de chant.	☐	☐
6. Ma mère pense que ce moment est très spécial dans ma vie.	☐	☐
7. Mon succès n'a pas surpris mes parents.	☐	☐
8. On va faire une tournée dans toute la France.	☐	☐

ÉCRIRE

8 À partir des informations ci-dessous, écrivez la biographie d'Albert Camus.

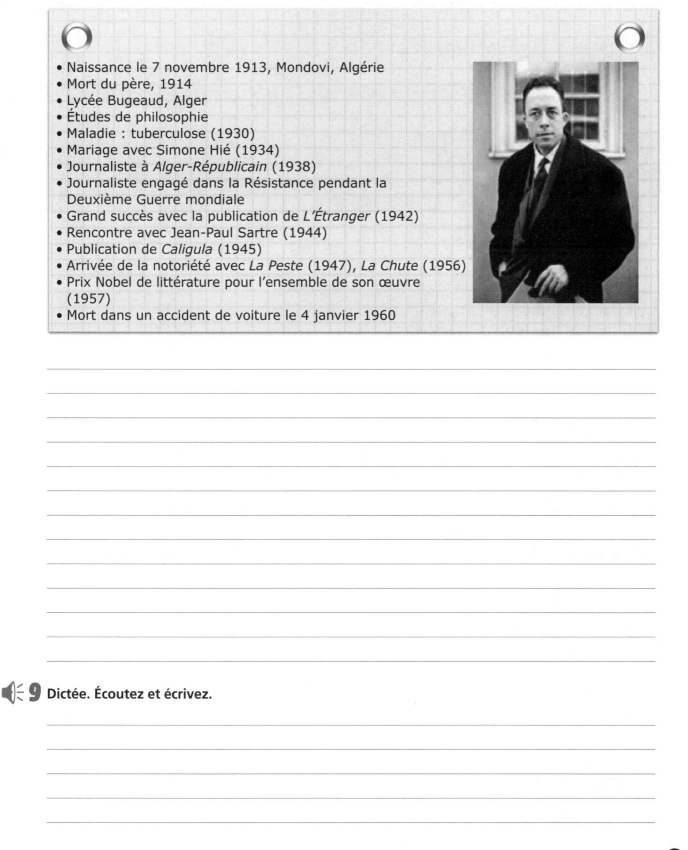

- Naissance le 7 novembre 1913, Mondovi, Algérie
- Mort du père, 1914
- Lycée Bugeaud, Alger
- Études de philosophie
- Maladie : tuberculose (1930)
- Mariage avec Simone Hié (1934)
- Journaliste à *Alger-Républicain* (1938)
- Journaliste engagé dans la Résistance pendant la Deuxième Guerre mondiale
- Grand succès avec la publication de *L'Étranger* (1942)
- Rencontre avec Jean-Paul Sartre (1944)
- Publication de *Caligula* (1945)
- Arrivée de la notoriété avec *La Peste* (1947), *La Chute* (1956)
- Prix Nobel de littérature pour l'ensemble de son œuvre (1957)
- Mort dans un accident de voiture le 4 janvier 1960

9 Dictée. Écoutez et écrivez.

GRAMMAIRE

Le passé composé (forme négative)

1 Mettez les éléments dans l'ordre pour former des phrases.

1. pas / je / livres / n' / mes / rangé / ai

_____

2. mangé / on / n' / huîtres / jamais / d' / a

_____

3. sont / se / gare / retrouvés / pas / ne / la / ils / à

_____

4. as / plus / n' / tu / de / voulu / purée

_____

5. dîné / dimanche / nous / pas / au / dernier / n' / restaurant / avons

_____

6. appris / ski / elle / à / n' / faire / a / du / jamais

_____

2 Répondez aux questions suivantes à la forme négative.

1. Elle a connu quelqu'un en Suisse ? _____
2. Jonas t'a toujours battu aux échecs ? _____
3. On s'est donné rendez-vous à midi ? _____
4. Tu as acheté un cadeau pour son anniversaire ? _____
5. Tu as dit quelque chose ? _____
6. Ils sont allés souvent au bord de la mer ? _____

L'accord du participe passé avec l'auxilaire *avoir*

3 De qui ou de quoi ils parlent ? Lisez les phrases et choisissez l'option correcte.

1. Je ne l'ai pas invitée à ma fête.
   a) ma belle-mère   **b)** mon frère   **c)** mes neveux

2. Il les a achetés à Limoges.
   a) ces robes   **b)** ces tableaux   **c)** ces tasses

3. Tu les as déjà finies.
   a) les courses   **b)** les romans   **c)** les exercices

4. Nous l'avons annoncée à tous.
   a) la radio   **b)** le mariage   **c)** la date

5. Vous l'avez fait tout seul ?
   a) la gestion   **b)** les exercices   **c)** le repas

6. Elle les a appelés ?
   a) les copines   **b)** les clients   **c)** le collègue

7. Où l'avez-vous rencontrée ?
   a) madame Dupond   **b)** le dentiste   **c)** les parents de Pierre

4 De quoi parlent-ils ? Reliez les deux colonnes.

1. Je l'ai mise dans la valise.
2. Nous l'avons pris chez Robert.
3. Ils les ont ouvertes finalement.
4. Nous l'avons peint en bleu.
5. Tu l'as déjà fait ?
6. Elle l'a écrite en italien.
7. Il l'a composé.
8. Je l'ai raté de peu.

a) la lettre
b) le salon
c) le billet de train
d) la trousse de toilette
e) les fenêtres
f) le métro
g) le résumé
h) l'apéritif

5 Répondez aux questions suivantes en remplaçant les mots soulignés par le pronom qui convient. Attention à l'accord du participe passé !

1. Où est-ce que tu as rencontré ta femme ? _____
2. Quand as-tu perdu tes papiers ? _____
3. Pourquoi tu as ouvert cette lettre ? _____
4. Quand est-ce qu'il a écrit ces articles ? _____
5. Tu as fait cette mousse au chocolat tout seul ? _____
6. Tu as acheté les billets d'avion ? _____
7. Ils ont passé le bac la semaine dernière ? _____
8. Vous avez vidé la piscine ? _____

Les pronoms compléments d'objet indirect (COI)

6 Associez les questions aux réponses.

1. Elle a téléphoné à ses parents ?
2. Tu as écrit au directeur ?
3. Tu as expliqué l'exercice à ton fils ?
4. Elle a donné son adresse à sa collègue ?
5. Vous avez envoyé un bouquet à Mamie ?
6. Tu as donné la clé aux voisins ?

a) Oui, je lui ai montré le raisonnement.
b) Oui, nous lui avons envoyé des roses.
c) Oui, je lui ai adressé un mail.
d) Non, je ne leur ai pas laissé la clé.
e) Non, elle leur a envoyé un SMS.
f) Oui, elle lui a donné sa carte de visite.

7 Complétez les courriers suivants avec le pronom complément d'objet qui convient.

1. Mon cher Yvan, je _____ envoie cette carte postale de Saint-Tropez où je passe mes vacances. Je _____ rapporterai un souvenir, c'est promis ! Dis à maman et papa que je _____ téléphonerai en fin de semaine. Je _____ envoie de gros bisous.

2. Monsieur, je _____ écris au sujet de ma commande. Je _____ joins la référence. J'aimerais échanger la veste que j'ai achetée la semaine dernière car elle ne _____ va pas du tout. Dites-_____ si c'est possible. Je _____ prie de recevoir mes sincères salutations.

3. Mon cœur, j'ai téléphoné à ma tante Lucie. Je _____ ai dit que nous l'invitons à notre anniversaire de mariage. Elle aimerait savoir ce qu'elle peut _____ offrir. Je _____ ai demandé de _____ acheter un livre d'art. Ça _____ va ?

LEXIQUE

Les vêtements

1 **Chassez l'intrus.**

1. une veste • une cravate • un manteau • un imperméable
2. des sandales • des bottes • des bas • des baskets
3. un pantalon • une écharpe • un chapeau • un collier
4. un jean • un chemisier • un tee-shirt • un pull

2 **En quoi sont-ils ? Associez les vêtements à la matière. Plusieurs combinaisons sont possibles.**

1. un pull
2. une chemise
3. un pantalon
4. un foulard
5. des chaussures

   a) en coton
   b) en soie
   c) en cuir
   d) en laine
   e) en jean

3 **Décrivez ce que porte chaque personne.**

❶  ❷  ❸

_____
_____
_____
_____
_____
_____

4 **Et vous, que portez-vous aujourd'hui ?**

_____
_____
_____

5 **Reliez les phrases et les répliques correspondantes.**

1. Je cherche un tailleur classique.
2. Quelle est votre pointure ?
3. Elle te va bien cette jupe !
4. J'ai vraiment trop chaud !
5. J'adore mon nouveau collier !
6. Il fait froid aujourd'hui !

   a) Oui, mets ton bonnet et tes gants.
   b) Eh bien, enlève ta veste !
   c) Moi aussi, tu me le prêtes pour sortir ce soir ?
   d) Je vous propose ces deux modèles.
   e) Je chausse du 39.
   f) Oui, elle est très à la mode !

Le climat

6 Quel temps fait-il dans chaque ville ? Observez la carte et répondez.

Lille 3° C
Paris 4° C
Strasbourg 0° C
Nantes 8° C
Clermont-Ferrand 3° C
Bordeaux 12° C
Toulouse 10° C
Marseille 15° C

1. À Strasbourg : _____
2. À Paris : _____
3. À Toulouse : _____
4. À Marseille : _____
5. À Clermont-Ferrand : _____
6. À Bordeaux : _____
7. À Nantes : _____
8. À Lille : _____

7 Qu'emportez-vous dans votre valise pour les vacances ? Choisissez dans la liste ci-dessous.

des bottes • une robe longue • de la crème solaire • des gants • un châle • un pull •
un anorak • un maillot de bain • une écharpe • une serviette de plage • un short •
des chaussures à talons • des sandales • un tee-shirt • un chapeau • des tongs •
un jean • un sac à main • un bonnet • des lunettes de soleil

1. Vous allez au bord de la mer, en été : _____
   _____

2. Vous allez à une fête, au printemps : _____
   _____

3. Vous allez à la montagne, en hiver : _____
   _____

Le corps humain

8 Devinettes. De quelle partie du corps s'agit-il ?

1. Un collier le met en valeur : _____
2. Les mettre sur la table n'est pas poli : _____
3. Elles se trouvent au-dessus des genoux : _____
4. On serre la droite pour saluer : _____
5. Il nous fait souffrir quand on porte trop de poids : _____

9 Cochez la case correspondante pour chacun des mots.

	les pieds	les jambes	les bras	la poitrine	le dos	les mains
membres						
extrémités						
tronc						

MON DICO PERSO
Au fil des saisons

Cet espace est à vous… Élaborez votre « dico perso » au fil des unités.

Nous vous proposons des rubriques qui correspondent au lexique abordé dans cette unité.
À vous de noter les mots qui vous semblent utiles pour votre « dico perso » dans chacune de ces rubriques.

N'oubliez pas que vous pouvez trouver du lexique « utile » sur toutes les pages de l'unité.

le corps humain

les vêtements

L'HOMME ET LE CLIMAT

les saisons

la météo

Un conseil : passez ces listes au format numérique. Vous pourrez ainsi
les compléter à l'infini, les personnaliser, les emporter avec vous…

À suivre...

PRONONCIATION

[p]-[b]-[f]-[v]

1 Écoutez et cochez le son que vous entendez.

	1	2	3	4	5	6	7	8	9
[p]									
[b]									
[f]									
[v]									

2 Écoutez et dites si les mots de chaque série sont identiques ou différents.

	1	2	3	4	5	6
=						
≠						

3 Cochez les phrases que vous entendez, puis répétez après l'enregistrement.

	Vous avez bu ?		Vous avez vu ?
	Il a dit « fin » ?		Il a dit « vin » ?
	Jette la pierre !		Jette la bière !
	Regarde le vol !		Regarde le bol !
	C'est un petit bois.		C'est un petit pois.
	Claude est très naïf.		Claude est très naïve.
	Tu bois quelque chose ?		Tu vois quelque chose ?

4 Définitions.

Retrouvez, dans la liste ci-dessous, le mot qui correspond à chaque définition.

pont • vingt • bois • pain • bon • voix

a) C'est un multiple de dix et de deux : _____

b) C'est le résultat de la vibration des cordes vocales : _____

c) C'est le contraire de « mauvais » : _____

d) On l'utilise pour faire des meubles : _____

e) C'est la base du sandwich : _____

f) Il est nécessaire pour traverser un fleuve ou une rivière : _____

Grammaire et prononciation : l'accord du participe passé

5 Écoutez les phrases enregistrées et indiquez le substantif remplacé par le pronom.

1. a) le téléphone   **b)** la trousse de toilette   **c)** les stylos

2. a) l'avion   **b)** la photo   **c)** les vacances

3. a) les macarons   **b)** la tarte   **c)** le gâteau

4. a) le lit   **b)** les étagères   **c)** la table

5. a) la leçon   **b)** les exercices   **c)** le texte

COMPÉTENCES
ÉCOUTER

1 Points de vue. Écoutez la discussion et choisissez le résumé correct.

1. Quatre personnes se racontent leur visite au festival des arts divinatoires.
2. Quatre personnes se moquent des personnes qui croient à l'horoscope.
3. Quatre personnes expriment leur opinion sur l'influence des astres et elles ont des opinions divergentes.

2 Quelle attitude ont les participants envers l'astrologie ? Associez.

1. Le 1er homme
2. La 1re femme
3. Le 2e homme
4. La 2e femme

a) partiellement critique
b) totalement critique
c) totalement ouvert(e)

3 Quelle phrase résume l'opinion de chacun ? Associez.

1. Le 1er homme
2. La 1re femme
3. Le 2e homme
4. La 2e femme

a) C'est vrai, mais attention aux interprétations.
b) Il y a du vrai !
c) C'est indéniable !
d) Ce n'est pas sérieux !

4 Réécoutez cette discussion. Soulignez les expressions de la liste que vous entendez, puis classez-les selon qu'elles expriment l'accord, le désaccord ou l'opinion.

	accord	désaccord	opinion
– À mon avis…			
– Sur ce point, je peux être d'accord.			
– C'est sûr que…			
– Je trouve que…			
– C'est vrai que…			
– Je ne suis pas du tout d'accord (avec)…			
– Le problème, c'est que...			
– Je suis contre.			
– Ce n'est pas vrai.			
– Je suis totalement contre.			
– Je suis très sceptique.			
– Je crois que…			
– Par contre…			
– Tu as raison…			
– Je suis pour…			

PARLEr

5 **Reliez les phrases et les situations dans lesquelles on peut les dire.**

1. Qu'en pensez-vous, il a le profil ?
2. Je suis fatigué de cet auteur, vous pouvez m'en conseiller un autre ?
3. Il n'y a plus de saisons !
4. Je trouve que c'est une erreur.
5. Je suis complètement de ton avis !
6. Je pense qu'il a raison.

a) Une personne qui est d'accord avec une autre.
b) Le directeur des ressources humaines demande à un(e) collègue son avis, au sujet d'un candidat.
c) Une personne à qui on demande son avis.
d) Un homme âgé, à propos du changement climatique.
e) Un client dans une librairie.
f) Une personne qui donne une opinion négative.

6 **Matthieu Lepic a parcouru 10 000 km à vélo. Il a traversé 15 pays en un an. Complétez l'interview dans laquelle il raconte son expérience, avec les questions qui conviennent.**

1. *La journaliste :* _____

   _____

   Matthieu Lepic : J'ai choisi le vélo parce qu'on n'est pas enfermé dans un véhicule et qu'on est en contact direct avec la nature et les populations. En plus, c'est écologique et économique !

2. *La journaliste :* _____

   _____

   Matthieu Lepic : Je l'ai fixé en fonction du climat et des conditions géopolitiques. Par exemple, comme je suis parti en hiver, j'ai commencé par le Maghreb.

3. *La journaliste :* _____

   _____

   Matthieu Lepic : Non, j'ai adapté mon programme en fonction des rencontres et de mes envies.

4. *La journaliste :* _____

   Matthieu Lepic : Les conditions climatiques, principalement. Le froid extrême dans la cordillère des Andes, la chaleur et les moustiques en Sibérie… Ah ! et l'accès à l'eau potable aussi. J'ai parfois été bien malade !

5. *La journaliste :* _____

   Matthieu Lepic : Bien sûr que cette expérience m'a changé ! C'est inévitable. Je suis devenu un citoyen du monde et j'ai appris à mieux me connaître…

6. *La journaliste :* _____

   Matthieu Lepic : J'ai eu peur, bien sûr ! Plusieurs fois ! Ça fait partie de l'aventure, mais tout s'est bien passé finalement.

7. *La journaliste :* _____

   Matthieu Lepic : Oui, j'ai un nouveau projet de voyage. Toujours à vélo, mais cette fois-ci, avec ma femme.

7 **Lisez ces faits divers.**

.... **INSOLITES** ....

❶ Condamné à cause de Facebook !

Un homme de quarante ans, Daniel Dufour, a été condamné le 2 décembre dernier à six mois de prison avec sursis, pour avoir créé une fausse page Facebook au nom de son ex-compagne. Sur cette page, il a mis des photos « compromettantes » et a eu des paroles injurieuses.
Pour sa défense, il a déclaré que, comme il est toujours amoureux de son ex-femme, qui ne veut plus lui parler, il a utilisé ce moyen pour renouer le contact avec elle.
Évidemment, le juge n'a pas été convaincu par cet argument et l'a condamné pour délit d'usurpation d'identité.

❷ Café gratuit contre un baiser !

Un bar de Sidney, en Australie, a lancé une opération anti-crise au mois de janvier dernier. Pendant tout le mois, entre 9 h et 11 h du matin, il a offert le café aux clients en couple en échange d'un baiser entre eux. C'est aussi un grand coup de pub ! Ils ont en effet filmé ces baisers avec le consentement des clients et ont mis la vidéo en ligne. Et ça a marché ! Depuis, le bar est toujours plein !

❸ Une mamie courageuse !

Une dame âgée de 70 ans est devenue l'héroïne d'une petite ville anglaise hier, à 20 h, parce qu'elle a permis d'arrêter un voleur sur le point de cambrioler un magasin d'électronique. En effet, quand elle a entendu le bruit de vitre cassée derrière elle, elle n'a pas hésité à frapper le jeune homme, avec son sac à main. Le voleur a été pris d'un moment d'hésitation quand il a vu l'âge de son « agresseuse », et un homme, témoin de la scène, a pu le neutraliser. D'autres témoins ont immédiatement appelé la police, qui est arrivée au bout de dix minutes.
La dame n'a pas été blessée et a seulement demandé aux policiers de la raccompagner chez elle.

❹ Un crocodile en prison !

Une femelle crocodile de deux mètres de long a été arrêtée et mise en prison dans un petit village australien. Appelés par les habitants inquiets de voir ce « monstre » se promener dans les rues, les policiers ont eu des difficultés pour maîtriser l'animal. Ils n'ont pas su quoi faire de lui, alors ils l'ont finalement mis dans une cellule du commissariat. La femelle crocodile a été bien traitée : elle a été alimentée et a reçu un bain quotidien pendant les trois jours qu'a duré sa détention. Elle a ensuite été remise en liberté par une équipe spécialisée.

8 De quoi traitent ces faits divers ? Reliez les titres et les faits.

1. *Condamné à cause de Facebook !*
2. *Café gratuit contre un baiser !*
3. *Une mamie courageuse !*
4. *Un crocodile en prison !*

a) une tentative de vol avortée
b) le résultat d'un jugement
c) une opération de marketing
d) une arrestation originale

9 À quel fait divers correspondent chacune de ces informations complémentaires ?

1. Le propriétaire du magasin a porté plainte : _____
2. Le café réfléchit maintenant à une deuxième opération de marketing : _____
3. Il a aussi été condamné à 3 000 euros d'amende : _____
4. L'animal n'a agressé personne : _____
5. Sa famille et ses amis ont incité la victime à porter plainte contre son ex-compagnon : _____
6. Les policiers ont félicité la vieille dame pour son courage : _____
7. Les habitants du village se sont enfermés chez eux : _____
8. Le voleur a été emmené au commissariat : _____
9. L'accusé conteste le résultat du procès et va faire appel : _____
10. En raison de l'augmentation des terres cultivées, les animaux sauvages ne trouvent plus de quoi se nourrir et cherchent de la nourriture dans les villes : _____

10 Retrouvez dans les textes le synonyme des mots ou expressions suivants.

Fait divers n° 1 :

1. outrageants (adj.) : _____

Fait divers n° 2 :

2. action (nom) : _____
3. permission (nom) : _____

Fait divers n° 3 :

4. voler dans une maison ou un magasin (verbe) :

_____

5. attaquante (nom) : _____

Fait divers n° 4 :

6. préoccupés (adj.) : _____

ÉCRIRE

11 Rédigez une intervention pour un forum. Est-ce que les parents doivent intervenir dans la façon de s'habiller de leurs enfants ? Vous devez donner votre opinion et raconter votre expérience personnelle comme parent ou comme enfant. (80 mots)

12 Dictée. Écoutez et écrivez.

_____

_____

_____

_____

_____

GRAMMAIRE

1 Complétez le texte suivant avec les articles partitifs et les prépositions qui manquent.

Dans la ratatouille, il y a 400 grammes _____ courgettes, 200 grammes _____ aubergines, 200 grammes _____ poivrons verts, 250 grammes _____ poivrons rouges, 500 grammes _____ tomates, _____ oignons, 2 gousses _____ ail, _____ sel, _____ poivre, _____ huile d'olive et un bouquet garni.

2 Qu'est-ce qu'ils mangent / boivent et ne mangent / boivent pas ? Complétez avec des mots de la liste et les articles qui conviennent.

jambon • fruits • riz • vin • légumes • chocolat • pâtes • viande • poisson • œufs • biscuits • eau • yaourts • thé • boissons gazeuses • charcuterie • fromage

1. Une personne végétarienne.
Elle mange / boit : _____
Elle ne mange / boit pas : _____

2. Une personne sportive.
Elle mange / boit : _____
Elle ne mange / boit pas : _____

3. Une personne qui suit un régime amaigrissant.
Elle mange / boit : _____
Elle ne mange / boit pas : _____

3 Dites si, dans les phrases suivantes, les mots *du* et *des* sont des articles partitifs ou des articles contractés.

	article partitif	article contracté
1. J'ai mangé des spaghettis délicieux.	☐	☐
2. Le goûter des enfants est sur la table.	☐	☐
3. Je mets du beurre dans le gâteau ?	☐	☐
4. Ils ont encore acheté des bonbons !	☐	☐
5. Quel est le plat du jour ?	☐	☐

4 Complétez avec un article défini, indéfini ou partitif.

1. Léa n'aime pas _____ poisson, elle préfère manger _____ viande.
2. Va au marché et achète _____ belle salade, _____ fraises et 500 grammes _____ haricots verts.
3. Thomas adore _____ frites et _____ ketchup.
4. Agathe ne met jamais _____ sucre dans son café.
5. En dessert, je prends _____ yaourt plutôt que _____ fromage.

5 Complétez les phrases suivantes à l'aide d'un adverbe de quantité (et la préposition *de* si nécessaire).

1. Pour être en forme, il faut boire _____ eau.
2. Tu devrais manger _____ moins de sucreries !
3. J'ai mangé _____ huîtres ! J'ai mal à l'estomac.
4. Ce plat est très fade ! Tu n'as pas mis _____ sel.
5. Tu peux manger _____ charcuterie, mais attention, ça fait grossir !

9

Le pronom *en*

6 **De quoi on parle ? Lisez les phrases et choisissez l'option correcte.**

1. J'en ai fait toute la matinée pour la fête de l'école.

    a) des crêpes   **b)** du poisson   **c)** de l'eau minérale

2. Il en mange toutes les semaines en omelette.

    a) des frites   **b)** du beurre   **c)** des œufs

3. Il n'en reste plus dans le frigo.

    a) des biscottes   **b)** du lait   **c)** des boîtes de conserve

4. Nous en avons visité une ce week-end.

    a) une église   **b)** une photo   **c)** une date

5. Elle en a acheté une paire à sa pointure.

    a) un pantalon   **b)** des gants   **c)** des chaussures

7 **Associez les questions aux réponses.**

1. Il reste du riz dans le placard ?   **a)** Oui, j'en ai.

2. Vous avez des frères et sœurs ?   **b)** Non, il n'y en a pas.

3. Tu veux un café ?   **c)** Non, je n'en ai pas.

4. Vous avez des enveloppes ?   **d)** Oui, il en reste un paquet.

5. Il y a un bar près d'ici ?   **e)** Non merci, je n'en prends jamais le soir.

8 **Imaginez les questions à partir des réponses suivantes.**

1. _____

J'en mange tous les soirs à la fin du repas.

2. _____

Oui, j'en ai une mais pour aller au travail, je prends le métro.

3. _____

Non, je n'en parle jamais quand je suis à la maison.

4. _____

Oui, j'en suis très content, il marche très bien.

Les adverbes en *-ment*

9 **Reformulez les phrases à l'aide d'un adverbe de manière.**

1. Nadine a remercié ses hôtes avec politesse.

_____

2. Nous avons attendu avec impatience l'arrivée de nos parents.

_____

3. Ce produit a été créé par un procédé artificiel.

_____

4. Il a répondu à ma question d'un air naïf.

_____

LEXIQUE
À manger et à boire

1 Classez les aliments de la liste ci-dessous dans le tableau.

du chocolat ● de la raie ● du lait ● du pain ● de l'eau ● du fromage ● de l'huile ●
des pommes ● des carottes ● des œufs ● du riz ● du vin ● des pâtes ● des courgettes ●
du beurre ● du bœuf ● du thé ● des tomates ● du maïs ● des yaourts ● de la confiture

boissons	fruits et légumes	céréales et produits dérivés	viande, poisson, œufs	lait et produits laitiers	matières grasses	sucre et produits sucrés

2 Soulignez l'intrus.

1. le canard ● le bœuf ● le poulet ● la dinde

2. la pomme ● la poire ● la fraise ● la carotte

3. le haricot vert ● le petit pois ● l'ananas ● le navet

4. le saumon ● la dorade ● la morue ● le veau

3 Devinettes. Dites de quoi il s'agit et retrouvez les mots correspondants dans la grille.

1. Elle est ronde, rouge et elle a un petit noyau :
C_ _ _ _E.

2. Elle est jaune et allongée. Dans certains pays,
on la fait frire : B_ _ _ _E.

3. C'est un animal gros et rose. Sa queue est
en tire-bouchon : P_ _C.

4. À la meunière, elle est excellente : S_ _E.

5. Moi, je les préfère à l'huile : S_ _ _ _ _S.

6. C'est la seule viande que je mange : V_ _U.

7. C'est le fromage préféré des Français :
C_ _ _ _ _ _ _T.

8. C'est le bébé du mouton : A_ _ _ _U.

C	V	P	R	H	E	P	K	A	S
A	E	U	V	X	N	O	M	G	S
Q	Y	F	E	B	S	R	T	N	A
C	E	R	I	S	E	C	T	E	R
K	T	S	A	Z	V	X	M	A	D
B	A	N	A	N	E	Q	E	U	I
A	E	I	H	V	E	A	U	H	N
L	N	E	C	P	S	S	O	L	E
C	A	M	E	M	B	E	R	T	S

4 Choisissez et soulignez le terme qui convient.

1. *une boîte / un pot*   de confiture

2. *un paquet / une tablette*   de café

3. *une bouteille / un sac*   de jus de fruits

4. *un litre / une tranche*   de jambon

5. *un tube / une boîte*   de mayonnaise

6. *une barquette / un paquet*   de framboises

5 Complétez le dialogue avec les mots de la liste ci-dessous.

bouteille • kilos • boîtes • morceau • paquet • douzaine •
plaquette • tablettes • barquette

– Bonjour madame Lepic, qu'est-ce que je vous sers ?

– Je voudrais trois _____ de thon à l'huile, un _____ de farine, une _____

d'eau minérale, une _____ de beurre et deux _____ de chocolat.

– Vous prendrez des fruits et légumes ? Nous en avons reçus ce matin, ils sont très frais.

– Oui, d'accord. Mettez-moi deux _____ d'abricots et une _____ de fraises.

– Voilà, ce sera tout ?

– Non, je voudrais aussi une _____ d'œufs et un _____ de Roquefort.

– Voilà madame. Et avec ceci ?

– Ce sera tout, merci. Je vous dois combien ?

– Ça vous fait 25,50 €.

– Voilà. Au revoir, monsieur.

– Au revoir et bonne journée, madame.

6 Dans quel lieu pouvez-vous entendre les phrases suivantes ?

1. Deux gâteaux au chocolat et une tarte aux fraises, s'il vous plaît. → _____

2. Pour monsieur, un café, et pour moi, un thé au lait. → _____

3. Nous allons prendre une fricassée de poisson et une entrecôte. → _____

4. Où se trouve le rayon fruits et légumes ? → _____

5. Achetez mes abricots ! Ils sont très frais et bon marché !!! → _____

7 C'est bon ou ce n'est pas bon ? Reliez selon vos goûts personnels.

1. un thé très très sucré

2. le chou-fleur

3. un bifteck saignant

4. du champagne tiède

5. un gâteau qui sort du four

6. du pain sans sel

7. un sandwich mayonnaise

8. les (pommes de terre) frites

a) C'est mauvais !

b) Ça a très bon goût !

c) Ça sent (très) bon !

d) C'est succulent !

e) C'est pas bon du tout !

f) Ça a très mauvais goût !

g) Ça sent (très) mauvais !

h) C'est délicieux !

i) C'est bon !

8 Au restaurant. Complétez ces phrases avec les mots qui conviennent.

Aujourd'hui, nous n'avons pas pris le _____ du _____ parce que le mardi, c'est

du bœuf bourguignon. Nous avons choisi le menu à 13 € et en _____, nous avons pris une salade

de betteraves et du saucisson sec. Après, en _____, nous avons pris du poulet rôti avec des

choux de Bruxelles et, en _____, une glace à la vanille. Mais dans le menu à 13 €, il n'y a pas

de _____, que de l'eau, dommage !

MON DICO PERSO
À table

Cet espace est à vous… Élaborez votre « dico perso » au fil des unités.

Nous vous proposons des rubriques qui correspondent au lexique abordé dans cette unité et nous vous invitons à en ajouter d'autres.
À vous de noter les mots qui vous semblent utiles pour votre « dico perso » dans chacune de ces rubriques.

N'oubliez pas que vous pouvez trouver du lexique « utile » sur toutes les pages de l'unité !

Un conseil : passez ces listes au format numérique. Vous pourrez ainsi les compléter à l'infini, les personnaliser, les emporter avec vous…

À suivre…

PRONONCIATION

[ʃ]-[ʒ]

◄) 1 Écoutez et dites si les mots de chaque série sont identiques ou différents.

	1	2	3	4	5	6	7	8
=								
≠								

◄) 2 Écoutez et indiquez si le son [ʃ] se trouve au début, au milieu ou à la fin du mot prononcé.

	1	2	3	4	5	6	7	8
[ʃ-]								
[-ʃ-]								
[-ʃ]								

◄) 3 Écoutez et indiquez si le son [ʒ] se trouve au début, au milieu ou à la fin du mot prononcé.

	1	2	3	4	5	6	7	8
[ʒ-]								
[-ʒ-]								
[-ʒ]								

4 Classez les mots suivants selon qu'ils contiennent le son [ʃ] de « chat » ou [ʒ] de « page ».

dopage • affiche • parage • ajuster • approcher • brioche • chaleur • ajouter • branche •
atterrissage • jardinage • tricher • fromage • écologie • peluche • péjoratif

[ʃ]	[ʒ]

Quelle(s) graphie(s) permettent d'écrire chacun de ces sons ?
[ʃ] : _____   [ʒ] : _____

◄) 5 Écoutez l'enregistrement et complétez la transcription.

1. Le ___ endarme met son ___ apeau et se dépê___e.
2. ___e n'ai pas d'ar___ent pour a___eter du ___ambon.
3. ___ean et ___arlotte ___ouent à ca___e-ca___e.
4. Ro___er va prendre une dou___e et il ___er___e son ___ampoing.
5. Ce ___apeau ___aune est très ___oli, je l'a___ète !
6. ___e mets ma nouvelle ___upe pour ___ouer avec mes amies.
7. ___ulie fait des a___ats ___ez le boulan___er.
8. ___'ai man___é des ___oux de Bruxelles à la bé___amel avec des ___ampignons.

COMPÉTENCES
ÉCOUTER

1 Écoutez le dialogue et répondez aux questions.

1. Quel est le motif de l'appel de Sandra ?

   _____

2. Pourquoi Rémi est content du cours ?

   _____

3. Que va organiser Rémi ? _____

4. Que vont-ils manger ?
   a) entrée : _____
   b) plat principal : _____
   c) dessert : _____

5. Quels sont les ingrédients du plat principal ?

   _____

6. En quoi consiste chaque cours de cuisine ?

   _____

7. Quel est le nombre d'hommes et de femmes ?

   _____

8. Comment Rémi caractérise l'ambiance, le groupe et la prof ?

   _____

9. Quelle est la réponse de Sandra à la proposition de Rémi ?

   _____

PARLER

2 À quoi servent ces expressions ? Choisissez l'option correcte dans chaque cas.

1. « Et avec ça ? » sert à…
   a) demander à quoi sert un objet.
   b) demander à une personne si elle a acheté autre chose.
   c) demander à un client s'il désire autre chose.

2. « Ça y est ! » sert à…
   a) indiquer qu'une chose est finie.
   b) renforcer un argument.
   c) indiquer la place de quelque chose.

3. « Justement ! » sert à…
   a) indiquer qu'une réponse est juste.
   b) renforcer un argument.
   c) exprimer la surprise.

4. « Tiens ! » sert à…
   a) montrer quelque chose.
   b) exprimer la surprise.
   c) remercier quelqu'un.

5. « Ça fait… » sert à…
   a) décrire ce que fait quelqu'un.
   b) parler du temps qu'il fait.
   c) indiquer un prix.

3 Voici deux dialogues mélangés. Indiquez si les répliques appartiennent au dialogue 1 ou 2, puis réécrivez-les.

☐ Tu viens dîner chez moi, ce soir ?
☐ Ça te dit un resto ? C'est moi qui invite !

☐ Super ! En quel honneur ?
☐ Avec plaisir ! Qu'est-ce que j'apporte ?

☐ Parce que ça me fait plaisir ! Où veux-tu aller ?
☐ Une bouteille de vin, si tu veux. Je vais faire un risotto.

☐ Je ne sais pas, voyons… Pourquoi pas un japonais ? Ça fait longtemps qu'on n'y va pas !
☐ Hum ! J'adore ça ! À quoi il est ?

☐ Aux asperges, avec des oignons, des champignons et du vin blanc.
☐ En effet ! Tu connais Le Samouraï ? C'est une bonne adresse.

☐ Je peux faire un dessert, si tu veux.
☐ Oui ! La tempura y est délicieuse ! Tu as l'adresse ?

☐ Oui, attends, j'ai le numéro. J'appelle pour réserver une table.
☐ Ton fondant au chocolat, par exemple ?

☐ D'accord ! À quelle heure j'arrive ?
☐ Réserve pour 21 heures, ça te va ?

Dialogue 1 « Dîner au restaurant »

– Ça te dit un resto ? _____

_____

_____

_____

_____

_____

_____

_____

_____

Dialogue 2 « Dîner à la maison »

– Tu viens dîner chez moi, ce soir ? _____

_____

_____

_____

_____

_____

_____

_____

_____

COMPÉTENCES
LIRE

4 Voici trois restaurants sélectionnés pour vous.

 En bref · Photos · Votre avis · Plan d'accès

1. Marius

65, rue des Fleurs
34 000 Montpellier

Réservation : 04.48.70.30.00
Accès handicapés
Spécialités : cuisine locale
Carte : 24 €
Menu : 15 €
Horaires : Ouvert tous les jours à midi. Fermé le samedi et le dimanche.
Service de 12 h 15 à 14 h.

Sophie Mons a ouvert son restaurant il y a un an. Une petite salle au rez-de-chaussée et une autre à l'étage, au décor charmant. Idéal pour la pause-déjeuner, Marius vous offre une cuisine méditerranéenne et un service rapide. Les plats inscrits sur l'ardoise donnent une ambiance conviviale. Poêlée d'artichauts (7,50 €), carré d'aubergines aux tomates confites (15 €), crème catalane (5,75 €)
Vin au verre.

2. Crêperie Chez Loïc

6, Avenue de Nîmes
34 000 Montpellier

Réservation : 04.40.70.10.70
Spécialités : cuisine bretonne
Carte : 25 € à 34 €
Horaires : Ouvert tous les jours, accueil jusqu'à minuit.
Terrasse.

La crêperie Chez Loïc vous propose une cuisine bretonne de qualité : crêpes, variété de poissons, kig ha farz. Le cadre est assez chaleureux pour une soirée entre amis et la terrasse est très agréable.

3. Le Rayon d'or

3, rue de la Poste
34 000 Montpellier

Réservation : 04.45.40.60.60
Accès handicapés
Spécialités : cuisine inventive
Carte : 37,50 €
Menu : Menu-déjeuner : 21,75 €
Plat du jour : 18 €
Horaires : Ouvert du lundi au samedi de 12 h à 22 h 30.

Le Rayon d'Or vous offre un accueil chaleureux, un cadre calme et spacieux. Sa carte, faite de classiques revisités et de quelques inventions maison, est continuellement renouvelée. Découvrez chaque jour des plats spécialement sélectionnés pour vous faire découvrir les saveurs du moment. Mention spéciale pour ses desserts, notamment les profiteroles.

5 **Répondez aux questions. Quel restaurant... ?**

1. offre une grande variété de poissons : _____
2. donne un service rapide : _____
3. varie les plats fréquemment : _____
4. ne ferme pas le dimanche : _____
5. n'ouvre pas le soir : _____
6. possède une terrasse : _____
7. nous permet de goûter des plats régionaux : _____
8. offre une cuisine créative : _____
9. offre un plat du jour pour moins de 23 € : _____
10. offre une ambiance conviviale : _____

6 **Dans lequel de ces trois restaurants irez-vous pour... ? Justifiez vos réponses.**

1. déjeuner entre midi et deux heures, en semaine :
_____
_____

2. prendre un repas « en amoureux » :
_____
_____

3. fêter votre anniversaire entre amis :
_____
_____

ÉCRIRE

7 **Faites une courte présentation d'un restaurant que vous connaissez. Inspirez-vous de l'activité n° 4.**

_____
_____
_____
_____
_____

8 **Dictée. Écoutez et écrivez.**

1. _____
2. _____
3. _____
4. _____

GRAMMAIRE

1 Précisez pour chaque phrase la valeur du futur, à l'aide des éléments de la liste.

annoncer un projet • donner un ordre • faire une prévision • faire une promesse

1. Lion : vous serez de bonne humeur et vous rencontrerez l'âme sœur. → _____

2. Dans cinq ans, nous nous installerons à Paris. → _____

3. Vous m'apporterez les documents signés ! → _____

4. Je te promets que je t'offrirai un scooter le jour de tes 16 ans. → _____

2 Associez les éléments pour former des phrases.

1. La semaine prochaine, Claire   **a)** déménagerons à Nice.

2. Demain, tu   **b)** feront une balade dans les Alpes.

3. En janvier, nous   **c)** irez dîner dans un restaurant à la mode.

4. Ce soir, vous   **d)** partira en vacances.

5. Bientôt, Pierre et sa femme   **e)** rapporteras le livre à la bibliothèque.

3 Conjuguez les verbes de ces textes au futur simple.

1. Visite de la baie des Saintes : Nous _____ (prendre) le petit déjeuner à l'hôtel, puis nous _____ (partir) tôt pour prendre le bateau au port de Pointe-à-Pitre. Après une heure de traversée, nous _____ (arriver) dans la baie des Saintes, l'une des plus belles baies du monde.

Les Saintoises nous _____ (accueillir) et nous _____ (proposer) leurs « tourments d'amour » : une des spécialités pâtissières de l'île.

2. Découverte de l'île des phoques : les personnes qui _____ (participer) à l'excursion à l'île des phoques _____ (devoir) se présenter à 10 h à la plage de l'hôtel. Un bateau _____ (venir) les chercher et les _____ (ramener) au même endroit à 18 h.

3. Le mois prochain, je _____ (partir) en vacances en Italie pour deux semaines. Je _____ (commencer) par le nord, Milan et la région du lac Majeur. La deuxième semaine, mon cousin me _____ (rejoindre) et nous _____ (aller) à Rome, puis à Florence.

4 Faites une seule phrase en utilisant le pronom relatif *qui*.

1. Vous visiterez ce village. C'est le plus fleuri de la région.

_____

2. Nous préférons prendre le train de Bordeaux. Il est direct.

_____

3. Ce billet de train a une réduction. Elle est applicable le week-end.

_____

4. Cet hôtel propose un petit déjeuner. Il peut être servi en chambre.

_____

5 **Faites une seule phrase en utilisant le pronom relatif *que*.**

1. Le VTT est un sport. On peut le pratiquer à la montagne.

_____

2. Peux-tu me prêter le livre de Tonino Benacquista ? Je t'ai offert ce livre pour ton anniversaire.

_____

3. J'aime écouter cette symphonie de Beethoven. Je la trouve très belle.

_____

4. On peut regarder le film. On a acheté ce film pendant les vacances.

_____

5. J'adore cette robe blanche à fleurs rouges. Tu la portais à mon mariage.

_____

6 **Faites une seule phrase en utilisant le pronom relatif *où*.**

1. Paris est une ville. J'aimerais beaucoup vivre dans cette ville.

_____

2. Il est né un samedi. Ce jour-là, il faisait très froid.

_____

3. L'Espagne est un pays. On respecte encore beaucoup les traditions dans ce pays.

_____

4. Il m'a fait visiter le village. Il a passé son enfance dans ce village.

_____

5. Le dimanche est un jour. On organise des repas de famille ce jour-là.

_____

6. La Bretagne est une région française. Il y a beaucoup de tourisme dans cette région.

_____

7 **Complétez le texte suivant à l'aide des pronoms relatifs *qui, que, où*.**

Saint-Tropez est un petit village de pêcheurs _____
est devenu la capitale mondiale des célébrités et _____
il fait bon vivre toute l'année. Il est sur la liste des sites à
visiter de tous les touristes _____ traversent la région
et _____ peuvent contempler son port, _____
des yachts luxueux séjournent, et sa vieille ville _____
est restée très pittoresque.
Les visiteurs peuvent également admirer la vue sur
le golfe depuis les hauteurs _____ se dresse
la citadelle _____ ils peuvent aussi visiter. Enfin, pour
profiter du soleil et de la mer aux eaux cristallines

_____ offre St-Tropez, les estivants apprécieront la sublime « plage de Pampelonne », _____ se situe
à quelques kilomètres seulement et _____ reçoit les plus grandes stars du monde entier.

LEXIQUE

En voyage

1 Observez le billet de train ci-dessous et répondez aux questions en soulignant l'option correcte.

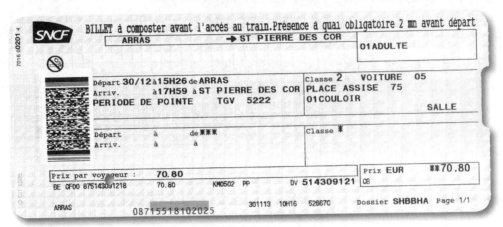

1. Quel est le type de train utilisé ?   un TER • un TGV
2. Quel est le prix du billet ?   75 € • 70,80 €
3. Quelle est la ville de départ ?   Arras • Saint-Pierre des Corps
4. À quelle heure arrive le train ?   à 17 h 59 • à 16 h 57
5. Quelle est la classe du billet ?   première classe • deuxième classe
6. Le billet est un… ?   aller simple • aller-retour

2 Devinettes. Associez les sigles de la liste aux phrases correspondantes.

la SNCF (Société nationale des chemins de fer français) • le RER (Réseau express régional) • le TGV (Train à grande vitesse) • la RATP (Régie autonome des transports parisiens) • la RN (Route nationale)

1. Je pars de Paris à 8 h 30 et j'arriverai à Marseille à 12 h 30. Ce train est très rapide ! _____
2. J'habite en banlieue, mais je suis à Paris en 15 minutes avec ce transport. _____
3. Quand j'étais petit, on la prenait toujours pour partir en vacances mais maintenant, on prend l'autoroute. _____
4. Demain, elle sera en grève. Tu devras prendre ta voiture pour aller au travail. _____
5. C'est l'organisme qui gère les moyens de transports publics de Paris. _____

3 Complétez les phrases suivantes à l'aide des verbes ci-dessous. Conjuguez-les, si c'est nécessaire.

gonfler les pneus • atterrir • ralentir • crever • accélérer • s'arrêter

1. J'ai dû _____ sur le bord d'une route nationale parce que mon pneu avant droit était _____.
2. La vitesse est limitée à 50, et tu roules à 90 ! _____ s'il te plaît, sinon on va avoir une amende !
3. Je crois que tu roules à plat. Il faudrait _____ de la voiture.
4. Mon avion a _____ avec deux heures de retard ! Je suis fatigué !
5. Regarde ! Le feu est au vert. Allez ! _____ !

4 Chassez l'intrus.

1. la route départementale • l'hôtel • l'autoroute • la route nationale
2. le vol • le quai • l'hôtesse de l'air • le terminal
3. l'aller simple • la couchette • la voie • la demi-pension
4. la chambre • l'hôtel • le gîte rural • le camping
5. le tableau de bord • le pare-brise • la roue de secours • la douche
6. le billet de train • le ticket de bus • le billet d'avion • le ticket de cinéma

5 **Complétez le dialogue suivant à l'aide des mots ci-dessous.**

séjour ● chambre ● petit déjeuner ● clé ● étage ● lit ● nom ● salle de bains ● restaurant ● vue

– Bonjour madame, nous avons réservé une _____ pour deux personnes.

– Oui, c'est à quel _____, s'il vous plaît ?

– Berthier, Nicole Berthier.

– Voilà, alors une chambre avec _____ et un grand _____.

– Nous préférons avec _____ sur la mer, si c'est possible.

– Oui, bien sûr. Vous prendrez le _____ dans la chambre ?

– Non, nous le prendrons au _____.

– D'accord, voici votre _____. Chambre 9 au premier _____.

– Merci madame.

– Passez un bon _____.

6 **Choisissez et soulignez le terme qui convient.**

1. *une auberge / une chambre*   de jeunesse
2. *un hôtel / un gîte*   rural
3. *une chambre / une pièce*   chez l'habitant
4. *en pension / en location*   complète
5. *une situation / une vue*   sur la mer
6. *un hôtel / une chambre*   pour deux personnes

7 **Complétez ce texte sur un village de vacances avec les mots ou expressions de la liste ci-dessous.**

séjour ● personnes ● dépaysant ● chambre(s) ● en famille ● salon ●
en bord de mer ● commerces ● activités ● ambiance ● toilettes

Bienvenue au « Paradis » !

Situé _____, ce village de vacances vous permettra de passer des vacances en couple, _____ ou entre amis, dans un décor paradisiaque, totalement _____.

Les bungalows sont prévus pour deux, quatre ou six _____, avec une, deux ou trois _____, un _____, une cuisine, une salle de bains et des _____.

Vous disposerez sur place de nombreux _____ et services, de bars et de restaurants où vous pourrez découvrir la gastronomie locale.

Tout au long de votre _____, vous pourrez profiter d'une _____ festive (spectacles, karaokés...) et d'un large choix d'_____ pour les petits et pour les grands.

MON DICO PERSO
On bouge

Cet espace est à vous… Élaborez votre « dico perso » au fil des unités.

Nous vous proposons des rubriques qui correspondent au lexique abordé dans cette unité.
À vous de noter les mots qui vous semblent utiles pour votre « dico perso » dans chacune de ces rubriques.

N'oubliez pas que vous pouvez trouver du lexique « utile » sur toutes les pages de l'unité.

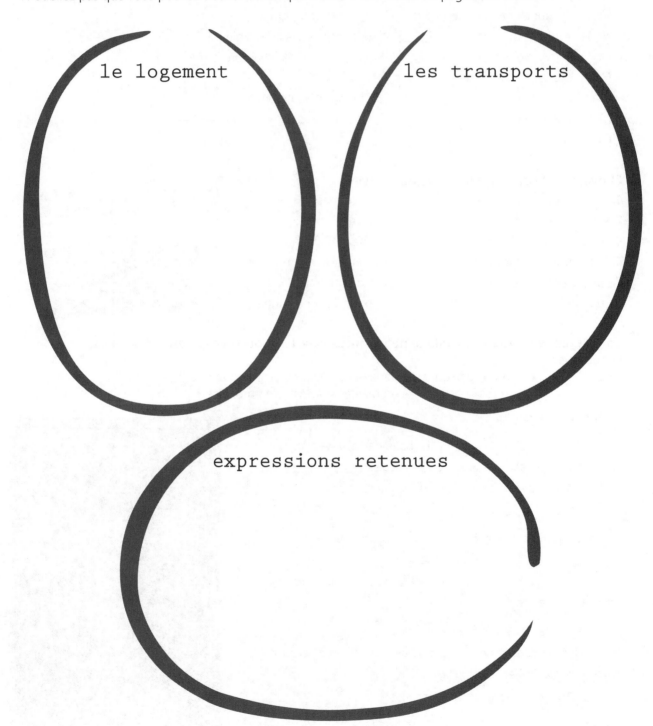

le logement

les transports

expressions retenues

Un conseil : passez ces listes au format numérique. Vous pourrez ainsi
les compléter à l'infini, les personnaliser, les emporter avec vous…

À suivre…

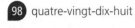

PRONONCIATION

[s]-[z]

 1 Écoutez et dites si les mots de chaque série sont identiques ou différents.

	1	2	3	4	5	6	7	8
=								
≠								

2 Écoutez et indiquez si vous entendez le son [s] ou [z].

	[s]	[z]
sucre		
garçon		
chose		
lessive		
scénario		
zèbre		
addition		
occasion		

	[s]	[z]
morceau		
assiette		
maison		
douze		
souris		
ciboulette		
promotion		
ça		

3 Complétez le tableau avec les mots de l'activité précédente.

[s] peut s'écrire...	[z] peut s'écrire...
« s » :	« s » :
« ss » :	« z » :
« c » :	
« ç » :	
« t » :	
« sc » :	

4 Écoutez l'enregistrement et complétez la transcription.

1. Il est bon, __e __andwich au __au__i__on !
2. Au pa__age, prends une dou__aine d'œufs.
3. Ma voi__ine fait __es cour__es au Ca__ino de Na__ion.
4. Mes frai__es __ont déli__ieu__es !

Grammaire et prononciation : les pronoms relatifs *qui* et *que*

5 Écoutez chaque phrase et indiquez si vous entendez le pronom *qui* ou le pronom *que*.

1. La robe _____ tu portes est très jolie.
2. C'est le chien des voisins _____ aboie autant.
3. La matière _____ m'intéresse vraiment, c'est l'histoire.
4. Le gâteau _____ tu as fait est délicieux !
5. C'est un village _____ est très touristique.

COMPÉTENCES

ÉCOUTER

🔊 **1** Écoutez le dialogue et choisissez l'option correcte.

1. Agnès téléphone à Bettina pour…
   a) lui proposer d'aller rendre visite à sa tante, à Port-Barcarès.
   b) lui proposer d'aller quelques jours à Port-Barcarès, dans le studio de sa tante.
   c) lui rappeler l'invitation de Pierrot, demain soir.

2. Bettina…
   a) est très enthousiaste.
   b) refuse la proposition d'Agnès.
   c) ne se montre pas très enthousiaste.

3. Agnès lui propose d'aller à Port-Barcarès…
   a) au printemps.
   b) en été.
   c) à l'automne.

4. Port-Barcarès est…
   a) au bord de la mer.
   b) à la montagne.
   c) à la campagne.

5. C'est une ville…
   a) très animée, même hors saison.
   b) pas du tout animée.
   c) peu animée hors saison.

6. Agnès lui propose…
   a) de louer une voiture sur place pour faire des excursions.
   b) de voyager en voiture.
   c) de louer des vélos sur place.

7. D'après Agnès…
   a) Port-Barcarès est le lieu idéal pour passer ses vacances.
   b) Port-Barcarès est une très jolie station balnéaire.
   c) Port-Barcarès a une belle plage et ses environs sont intéressants.

8. Finalement, Bettina…
   a) ne se laisse pas convaincre.
   b) n'est pas sûre d'être libre.
   c) accepte l'invitation d'Agnès.

PARLER

2 Dites si les phrases suivantes s'utilisent dans des échanges amicaux (A) ou commerciaux (C).

	A	C
1. C'est à quel nom ?	☐	☐
2. Il faut que je vous montre nos photos de vacances !	☐	☐
3. Je veux faire une réclamation ! J'ai perdu ma correspondance à cause de ce retard !	☐	☐
4. J'ai besoin d'une facture, s'il vous plaît.	☐	☐
5. Appelle-nous pour nous dire que vous êtes bien arrivés.	☐	☐
6. Vous pouvez me renseigner sur les huiles pour moteur, s'il vous plaît ?	☐	☐
7. Nadia veut savoir si on est là ce week-end.	☐	☐
8. Est-ce que vous avez une chambre libre du 23 au 27 juillet ?	☐	☐
9. Est-ce qu'il y a un supplément à payer ?	☐	☐
10. On a adoré cette région !	☐	☐

3 Remetttez le dialogue dans l'ordre.

a) Bien, je vais en parler à ma femme et je vous rappellerai pour réserver.
b) Pour combien de personnes ?
c) Bonjour, je voudrais des renseignements sur un séjour à Ténérife.
d) Le départ est à 11 heures le 14 et le retour à 15 heures le 19. C'est un hôtel 4 étoiles en face de la mer.
e) Pour deux personnes.
f) Nous avons une promotion du 14 au 19 septembre : vol, hôtel avec petit déjeuner pour 450 euros. Ça vous intéresse ?
g) Le « Sol y playa ».
h) Oui, je vous écoute.
i) Air Évasion, bonjour !
j) Quel est le nom de l'hôtel ?
k) Très bien monsieur, mais n'attendez pas trop longtemps, il reste peu de places !

1	2	3	4	5	6	7	8	9	10	11
i)										

4 Éric et Maude vont partir en camping pendant leurs vacances d'été. Ils commentent leur choix. Imaginez leur conversation.

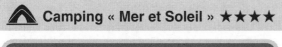
Camping « Mer et Soleil » ★★★★

Installations :
• Emplacements tentes et caravanes
• Bungalows
• Piscine
• Spa et sauna
• Bars - restaurant
• Plages à proximité

Camping « Aux herbes fleuries »

Situé au bord d'un lac de montagne, notre camping dispose d'emplacements ombragés et de bungalows.

Installations :
bar-restaurant, épicerie, aire de jeux

Activités :
sports aquatiques sur le lac et animations

Éric : Alors Maude, vous avez trouvé un camping pour cet été ?
Maude : Oui, nous irons / allons aller au camping « Aux herbes fleuries ».

_____
_____
_____
_____
_____

5 **Lisez la brochure, puis placez les titres de rubriques à l'endroit qui convient.**

Panne de véhicule • Le conducteur • Le véhicule • La circulation • Les passagers

Conseils de sécurité sur autoroutes

a

- Vérifiez ou faites vérifier les niveaux de carburant, d'huile, de liquide de refroidissement et de freins, avant chaque départ : le mauvais entretien des véhicules est un facteur aggravant dans un accident sur 5.

- Vérifiez la pression des pneus : des pneus bien gonflés réduisent la consommation de carburant et les risques d'éclatement !

- Attention aux objets dans l'habitacle : ils deviennent des projectiles en cas de coup de frein brusque.

b

- Avant le départ il est nécessaire d'avoir bien dormi, au minimum 8 heures.

- Pendant le voyage, mangez équilibré et surtout, hydratez-vous, en particulier l'été.

- Faites des pauses de 15 minutes toutes les 2 heures pour ne pas vous fatiguer.

c

- Adaptez votre vitesse à la météo : par temps de pluie, réduisez-la de 20 km/h ; par temps de brouillard, adaptez-la à votre visibilité.

- Respectez les distances de sécurité, cela vous permettra de freiner à temps et augmentez cette distance par temps de pluie.

- Respectez les panneaux routiers.

- Utilisez les aires de service pour vous reposer et pour vous restaurer.

- Circulez sur la voie la plus à droite de la chaussée.

d

- Attachez votre ceinture de sécurité et assurez-vous qu'elle est bien mise : elle est obligatoire, à l'avant comme à l'arrière.

- Si vous voyagez avec des enfants, assurez-vous que leur ceinture de sécurité est attachée et verrouillez les portes.

- Gardez vos animaux dans des cages sur les sièges arrière.

e

- Garez-vous sur la bande d'arrêt d'urgence (BAU) ou sur un refuge, présent tous les 2 km.

- Mettez votre gilet de signalisation de couleur jaune, et sortez de votre véhicule par la porte passager. Faites sortir les autres occupants du côté droit également.

- Mettez tous les passagers à l'abri derrière la glissière de sécurité.

- Prévenez les secours : dirigez-vous vers la borne d'arrêt d'urgence et appuyez sur le bouton. Expliquez votre problème aux services de sécurité.

- Restez derrière les glissières de sécurité et attendez le patrouilleur et le dépanneur.

- En cas de crevaison, surtout ne changez pas la roue : la survie d'un piéton sur l'autoroute est de 20 minutes. Attendez que la zone soit sécurisée par un patrouilleur.

6 **Retrouvez dans le texte à quoi correspondent ces chiffres.**

1. 1 / 5 : _____

2. 8 : _____

3. 15 : _____

4. 2 : _____

5. 20 : _____

7 **Lisez les explications de ces trois personnes et identifiez l' « imprudence » qu'elles commettent.**

1
J'ai pris la voiture pour aller chez mes parents qui habitent à 500 km d'ici. J'ai eu une crevaison et j'ai dû changer la roue sur l'autoroute. Et comme j'étais en retard, c'est la seule fois que je me suis arrêtée.

2
Ce matin, j'ai pris la voiture et j'ai fait 300 km jusqu'à cette plage. Que c'est beau ! Maintenant je suis fatigué. Il faut dire que je me suis couché très tard : c'était la fête de Patrick !

3
Nous, on voyage en famille, y compris avec Beaubeau, notre chien. Comme il bouge beaucoup, on le met devant. Entre lui et les jouets des enfants, on a l'impression de déménager à chaque voyage. Et comme le coffre est petit, on doit mettre des paquets sur le siège arrière, avec les enfants.

ÉCRIRE

8 **Vous avez essayé la formule « couch surfing* » pendant votre dernier voyage. Présentez votre expérience sur un forum de voyageurs. Dites comment vous avez pris contact, comment vous vous êtes déplacé, qui vous avez rencontré et comment ça s'est passé. (90 mots)**

_____
_____
_____
_____
_____

*« Couch surfing » est un réseau mondial d'hospitalité qui met en relation des personnes qui ont envie de découvrir de nouveaux lieux avec celles qui ont envie de les leur faire découvrir.

GRAMMAIRE

L'expression de la comparaison

1 **Faites des comparaisons à l'aide des adjectifs et adverbes proposés. Attention aux accords !**

lourd • chaud • élégant • long • tôt • vite • cher • près

1. Léa commence à travailler à 8 h 30 et Martin à 9 h.

_____

2. Il fait 20° C à Paris et 35° C à Madrid.

_____

3. Je mets 15 minutes pour rentrer chez moi en métro et 30 minutes, en bus.

_____

4. La robe verte coûte 40 € et la robe bleue coûte 40 €.

_____

5. Yvan habite à côté de son école, mais loin du gymnase.

_____

6. Annabelle pèse 30 kg et sa petite sœur 20 kg.

_____

7. Ce documentaire dure une heure et ce film deux heures.

_____

8. Carla a beaucoup de style. Tania a beaucoup de style aussi.

_____

2 **Complétez ces phrases avec des comparatifs d'égalité.**

1. Michel gagne moins que son frère, mais il dépense _____ argent que lui.

2. Cet été, il a fait _____ chaud que l'an dernier.

3. J'ai fait _____ sport que toi, pourtant je ne suis pas _____ fatigué.

4. Les routes nationales ne sont pas _____ dangereuses que les départementales.

5. Nous allons aux sports d'hiver _____ souvent qu'avant.

3 **Comparez ces deux personnages.**

_____

_____

_____

_____

_____

4 **Complétez les phrases suivantes avec _bon / bien_ ou leurs comparatifs.**

1. Ma mère prépare de _____ petits plats, mais ma grand-mère cuisine _____.

2. Peter parle _____ le français, mais il parle _____ l'allemand.

3. Les viennoiseries françaises sont _____ que celles du Royaume-Uni.

4. Les légumes surgelés sont _____, mais les légumes frais sont _____.

5. Matéo conduit moins _____ que Paul, qui a son permis depuis plus longtemps.

Le superlatif

5 Complétez les phrases à l'aide des superlatifs des adjectifs suivants et accordez si c'est nécessaire.

haut • grand • long • petit • actif

1. L'Etna, en Sicile, est le volcan _____ d'Europe.
2. Le Nil est le fleuve _____ du monde.
3. Le Mont Blanc est la montagne _____ d'Europe.
4. La Chine est le pays _____ du monde.
5. Le Vatican est l'État _____ du monde.

6 Comparatif ou superlatif ? Complétez les phrases suivantes avec un article défini, si nécessaire.

1. Mon voisin est _____ plus aimable que sa femme.
2. Ce quartier n'est pas _____ plus animé que les autres.
3. Qui est, selon vous, le chanteur actuel français _____ plus connu ?
4. Marion Cotillard est l'actrice française _____ plus célèbre.
5. Je suis sûr que Jean Dujardin est _____ plus connu que Vincent Cassel.
6. Le Procope est _____ plus vieux café de Paris.

Les pronoms *en* et *y*

7 Répondez aux questions en utilisant les pronoms *en* ou *y*.

1. Vous mangez souvent au restaurant ?
   _____

2. Il fait très chaud en Tunisie ?
   _____

3. Tu es revenu de Paris la semaine dernière ?
   _____

4. Vous allez rester à Lyon toute la semaine ?
   _____

5. Il sort de chez le dentiste ?
   _____

6. Ils reviendront de chez leurs parents demain ?
   _____

7. Tu peux m'accompagner chez le médecin ?
   _____

8. Vous allez vous marier à l'église ?
   _____

8 Complétez le dialogue suivant à l'aide des pronoms *en* ou *y*.

– Salut Loïc, ça va ? Tu n'es pas au gymnase ?

– Non, j'_____ sors. Pourquoi ?

– Parce que tu _____ vas souvent. Ton entraînement se passe bien ?

– Oui, ça va, je suis assez content.

– J'ai besoin de baskets. Tu veux bien venir à « Tousport » avec moi, pour me conseiller ?

– J'_____ suis allé hier, mais demain je vais à « Sport1000 », on _____ va ensemble ?

– Ben, j'_____ viens et je trouve que c'est assez cher.

– Ah bon ? Après, j'irai à « Jsport », c'est moins cher et ils ont une grande gamme de baskets.

– Super ! Je n'_____ suis jamais allé. Il est nouveau, ce magasin ?

– Oui, il a ouvert il y a quelques mois. On se retrouve là-bas ?

– D'accord, Merci !

LEXIQUE

Pour s'habiller

1 Soulignez l'intrus.

1. slip • soutien-gorge • culotte • pull • maillot de corps
2. tailleur • robe de chambre • chemise de nuit • pyjama
3. sandales • pantoufles • chaussettes • bottes • chaussures
4. chemise • jupe • pantalon • tee-shirt • parapluie
5. cravate • foulard • parasol • chapeau • casquette

2 Devinettes : lisez les définitions suivantes et dites de quoi il s'agit.

1. On l'indique au vendeur dans un magasin de chaussures : la P _ _ _ _ _ E
2. On y essaie un vêtement pour voir s'il va bien : dans la C _ _ _ _ E D' _ _ _ _ _ _ _ E
3. La XXL est la plus grande : la T _ _ _ _ E
4. Dans un grand magasin, les marchandises y sont placées : dans les R _ _ _ _ S
5. J'adore les regarder, même quand je ne veux rien acheter : les V _ _ _ _ _ _ S

3 Trouvez les contraires des adjectifs suivants, puis utilisez-les dans les phrases à la forme qui convient.

a) court : _____   d) petit : _____

b) large : _____   e) joli : _____

c) décontracté : _____   f) à la mode : _____

1. J'aime beaucoup cette robe _____. Je vais l'acheter pour aller au mariage de Loïc.
2. Ce jean est trop _____, il n'est pas commode à porter avec la chaleur qu'il fait !
3. J'ai besoin de vêtements _____ pour aller au bureau.
4. Cette chemise est trop _____ ! Tu devrais prendre la taille en dessous.
5. Ces chaussures sont vraiment _____ ! Achète plutôt celles-ci.
6. Ce blouson noir est _____, je vais en acheter un nouveau.

4 Complétez le texte avec les mots suivants.

garde-robe • faire des affaires • soldes • faire les magasins • taille •
remboursés • essayer • queue • boutique

Enfin les _____ !

Aujourd'hui, c'est le premier jour des soldes et je suis très
impatiente d'aller _____. J'ai rendez-vous
avec mes copines, c'est une tradition, pour nous !

En général, je n'achète pas de vêtements, j'attends toujours
les soldes pour _____. Cette année,
j'ai besoin de renouveler ma _____ : un pantalon,
un pull, une robe et des bottes.

La semaine dernière, j'ai vu de jolies robes dans une _____ à la mode, mais je n'ai pas
eu le temps de les _____. Heureusement, il y avait plusieurs modèles à ma _____...

Aujourd'hui, il faudra être patiente ! Il y aura la _____ aux cabines d'essayage ! C'est pourquoi
je préfère y aller avec mes copines. C'est plus sympa ! Le problème des soldes, c'est que les produits
ne sont pas _____, alors il ne faut pas se tromper !

Au bureau de tabac

5 Observez le dessin ci-dessous et identifiez chaque objet.

1. _____
2. _____
3. _____
4. _____
5. _____

6. _____
7. _____
8. _____
9. _____

À la pharmacie

6 Lisez les définitions suivantes et dites de quoi il s'agit.

1. On en prend quand on a mal à la gorge.   P _ _ _ _ _ _ _
2. On en prend une quand on a mal à la tête.   A _ _ _ _ _ _ _
3. On l'utilise pour se laver les cheveux.   _ _ _ _ _ _ N _
4. On le prescrit en cas de toux.   S _ _ _ _
5. Ils servent à couper les pansements.   _ _ _ E _ _ _ _
6. Elle sert à hydrater la peau.   _ _ _ M _
7. On l'utilise pour se doucher.   _ E _
8. On l'utilise pour se laver les dents.   _ _ N _ _ _ _ _ _
9. Il est utile pour mesurer la fièvre.   T _ _ _ _ _ _ _ _ _ _

7 Associez ces maux à leurs symptômes.

1. un rhume
2. une grippe intestinale
3. le mal de mer
4. la migraine

a) avoir très mal à la tête
b) éternuer, tousser
c) avoir mal au ventre, avoir de la fièvre
d) avoir mal à l'estomac, vomir

Argent, argent, argent !

8 Complétez les phrases à l'aide des mots ci-dessous.

pièces ● monnaie ● coûte ● billet ● rendre

1. L'euro est la _____ de l'Union européenne.
2. Je n'ai qu'un _____ de 50 euros. Pour acheter des tickets de bus, je dois faire de la monnaie.
3. La baguette _____ 1,50 €. Je vous ai donné 10 €, vous devez me _____ la monnaie.
4. Donnez-moi des billets, s'il vous plaît. Je ne veux pas de _____.

MON DICO PERSO
Commerces

Cet espace est à vous… Élaborez votre « dico perso » au fil des unités.

Proposez des rubriques qui correspondent au lexique abordé dans cette unité et notez les mots qui vous semblent utiles pour votre « dico perso » dans chacune de ces rubriques.

N'oubliez pas que vous pouvez trouver du lexique « utile » sur toutes les pages de l'unité !

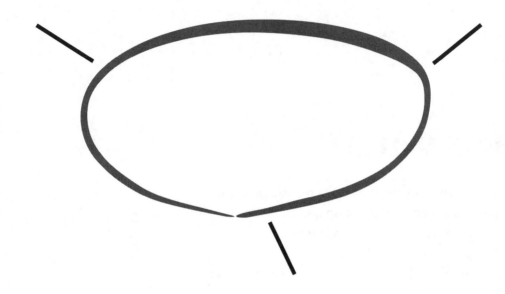

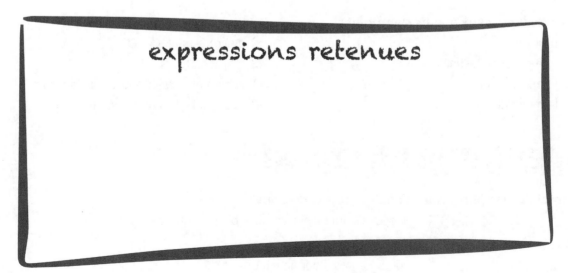

expressions retenues

Un conseil : passez ces listes au format numérique. Vous pourrez ainsi les compléter à l'infini, les personnaliser, les emporter avec vous…

À suivre…

PRONONCIATION

[s]-[ʃ]-[ʒ]-[z]

1 Écoutez les mots enregistrés et numérotez-les par ordre d'apparition.

a) basse	☐	bâche	☐	base	☐
b) joie	☐	soie	☐	choix	☐
c) beige	☐	baisse	☐	bêche	☐
d) asile	☐	Achile	☐	agile	☐
e) rose	☐	rosse	☐	roche	☐
f) mâche	☐	masse	☐	mage	☐
g) bise	☐	biche	☐	bisse	☐

2 Écoutez et dites si les mots que vous entendez commencent par [s] comme « station » ou par [ɛs] comme « Espagne ».

	1	2	3	4	5	6	7	8	9	10
s-										
es-										

3 Réécoutez les mots de l'activité 2 et répétez-les en les faisant précéder de l'article défini qui convient. Comparez votre prononciation à celle de l'enregistrement.

4 Écoutez et dites combien de fois vous entendez le son indiqué.

1. Le son [ʒ] comme dans *rouge* : _____ fois.   **3.** Le son [ʃ] comme dans *biche* : _____ fois.

2. Le son [s] comme dans *puce* : _____ fois.   **4.** Le son [z] comme dans *rose* : _____ fois.

5 Dictée. Écoutez et complétez.

1. __e __uis trè__ intére__é par __on __apeau par__e qu'il est trè__ amu__sant.

2. Les deux maga__ins offrent des __ervices très profe__ionnels.

3. __ette __emi__e est __éniale, __e vais la mettre diman__e pour la __oirée.

4. __e__ enfants viennent goûter tous les diman__es, parfois le __eudi.

5. Elle hé__ite entre __ette __upe oran__e et __e __ort rou__e.

Grammaire et prononciation : les pronoms *en* et *y*

6 Écoutez les phrases et indiquez si vous entendez le pronom *y* ou le pronom *en*.

1. Tu vas au ski ? J'___ reviens, c'était super !

2. Au restaurant, j'___ mange tous les jours.

3. Comment tu ___ vas, en train ou en avion ?

4. Marie est allée chez la coiffeuse. Elle ___ est sortie avec les cheveux très courts.

5. Vous ___ habitez depuis longtemps ?

6. Ils ___ vont souvent ?

7. Je suis allée faire les courses au supermarché, j'___ sors à l'instant.

COMPÉTENCES

ÉCOUTER

1 Écoutez le document, puis choisissez l'option correcte.

1. Vous venez d'écouter…
   a) la présentation commerciale d'un nouveau produit.
   b) un extrait de roman.
   c) un extrait de conférence.

2. La personne qui parle…
   a) explique comment il convient de consommer.
   b) présente différents types de consommateurs.
   c) met en relation contexte social et consommation.

2 Dites si les phrases suivantes sont vraies ou fausses.

	Vrai	Faux
1. Les entreprises connaissent bien leurs clients.	☐	☐
2. On ne sait pas très bien ce qui se passe quand on achète.	☐	☐
3. Les acheteurs ont toujours voulu acheter moins cher.	☐	☐
4. Aujourd'hui, les achats sur Internet se développent.	☐	☐
5. Une autre tendance actuelle est la limitation des dépenses dans tous les secteurs.	☐	☐
6. Les Français utilisent la voiture autant qu'avant.	☐	☐
7. La téléphonie n'évolue pas comme le secteur automobile.	☐	☐
8. Le plus important maintenant, c'est de réduire les achats à l'essentiel.	☐	☐

3 Ordonnez les différentes parties de l'enregistrement avec l'aide de la transcription.

a) Introduire deux nouvelles tendances dans la consommation. ☐

b) Résumer les idées principales. ☐

c) Mettre en rapport les changements sociaux et la consommation. ☐

d) Présenter une tendance de consommation contradictoire à celles qui ont été présentées. ☐

e) Introduire le concept d'achat. `1`

PARLER

4 Cochez les phrases qui correspondent au registre familier.

1. T'as fait une liste. ☐

2. Il vaut mieux s'y prendre à l'avance. ☐

3. Il est sympa. ☐

4. Il y a une pharmacie à côté. ☐

5. Le programme est pas mal. ☐

6. On en reparlera dimanche. ☐

7. Alors, tu viendras, super ! ☐

8. Je suis libre. ☐

9. Je veux une carte postale originale, quoi. ☐

10. Mais c'est dans un mois ! ☐

5 Que dites-vous pour… ? Écrivez le numéro de l'acte de parole correspondant.

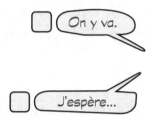 ☐ On y va.

☐ J'espère…

1. vous donner le temps de réfléchir
2. renforcer la valeur négative
3. exprimer votre irritation
4. exprimer un espoir
5. dire de se mettre en route

Ça m'énerve ! ☐

Pas du tout ! ☐

Voyons… ☐

6 Complétez librement ces conversations.

1. Au bureau de tabac.

Le buraliste : Bonjour, monsieur. Vous désirez ?

Le client : _____

Le buraliste : Voilà. Et avec ça ?

Le client : _____

Le buraliste : Pour la Suisse ?

Le client : _____

Le buraliste : Voilà.

Le client : _____

Le buraliste : Une recharge à 10 € ou à 25 € ?

Le client : _____

Le buraliste : La voilà. Ce sera tout ?

Le client : _____

Le buraliste : 19,60 € s'il vous plaît.

Le client : _____

Le buraliste : Voilà votre monnaie. Au revoir, monsieur.

Le client : _____

2. À la pharmacie.

Le client : _____

La pharmacienne : Bonjour. Je peux vous aider ?

Le client : _____

La pharmacienne : En ce moment, il y en a beaucoup. Montrez-moi votre ordonnance.

Le client : _____

La pharmacienne : Oh, avec ça, ça ira mieux !

Le client : _____

La pharmacienne : Alors, ça vous fait 3,83 €.

Le client : _____

La pharmacienne : Vous n'avez pas de monnaie ?

Le client : _____

La pharmacienne : Bon, ça ne fait rien. Voilà… bon rétablissement, au revoir.

Le client : _____

7 Lisez le texte suivant.

Notre santé

| Maladies | Médicaments | Se soigner autrement | Nutrition et régimes |

Pharmacies en ligne

En France, les médicaments sont en vente libre sur Internet depuis le début du mois de janvier 2013.

Ça a été une petite révolution dans le milieu pharmaceutique, car l'Ordre national des pharmaciens y était farouchement opposé, mais la France n'a pas eu le choix face à la législation européenne : elle avait jusqu'au 2 janvier 2013 pour se mettre en conformité avec la directive européenne.

1. _____

_____

La création et l'exploitation d'un site de vente de médicaments sur Internet sont exclusivement limitées aux pharmaciens diplômés inscrits à l'Ordre national des pharmaciens. Cela signifie qu'une pharmacie en ligne est en fait la prolongation d'une officine réelle. De plus, sa création doit être autorisée par le directeur général de l'Agence nationale de santé (ARS) et déclarée à l'Ordre national des pharmaciens.

2. _____

_____

Seuls les médicaments délivrés sans ordonnance et présentés en accès direct au public, dans les pharmacies, sont concernés, soit un total de 10 000 médicaments : contre les maux de gorge, de tête ou d'estomac, parmi les plus courants. Et ce, sous la responsabilité du pharmacien en cas de problème.

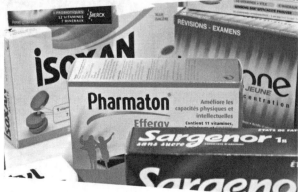

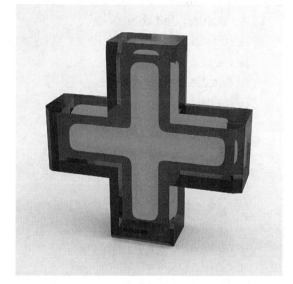

3. _____

_____

Pour l'Ordre national des pharmaciens, « le médicament n'est pas un bien de consommation ordinaire » et « rien ne peut remplacer le conseil du pharmacien en face à face ». Les pharmaciens ont manifesté leur peur que cette mesure n'entraîne une surconsommation de médicaments dans un pays qui en consomme déjà beaucoup et ont mis en garde contre le risque d'interaction entre différents médicaments.

Mais le fait de réglementer la vente en ligne de ces produits permet aussi de lutter contre la contrefaçon qui représente la moitié des médicaments vendus dans le monde.

Pour les clients, de plus en plus habitués à faire des achats sur Internet, l'avantage est de comparer les prix de vente et de livraison qui varient d'une pharmacie à l'autre.

8 **Écrivez les titres suivants à leur place, dans le texte.**

a) Une mesure qui fait débat.

b) Quelles sont les conditions de vente des médicaments en ligne ?

c) Quels médicaments peut-on acheter sur Internet ?

9 **Répondez aux questions.**

1. Quel est le sujet de l'article ?

_____

2. Qui peut vendre des médicaments sur Internet ?

_____

3. Est-ce que tous les médicaments sont en vente libre sur Internet ?

_____

4. Pour quelles raisons l'Ordre national des pharmaciens était opposé à cette mesure ?

_____

5. Quels sont les avantages de cette réglementation ?

_____

10 **Dites si les phrases suivantes sont vraies ou fausses.**

	Vrai	Faux
1. L'Union européenne a imposé à la France la vente de médicaments sur Internet.	☐	☐
2. N'importe quel distributeur peut vendre des médicaments.	☐	☐
3. Si vous avez une maladie infectieuse, vous pouvez vous procurer vos antibiotiques sur Internet.	☐	☐
4. D'après l'Ordre national des pharmaciens, le conseil du professionnel est indispensable au moment de délivrer des médicaments.	☐	☐
5. Les Français ne sont pas de grands consommateurs de médicaments.	☐	☐
6. Le risque d'acheter sur Internet des médicaments contrefaits était plus élevé avant cette réglementation.	☐	☐

ÉCRIRE

11 **Êtes-vous un(e) consommateur(/trice) de médicaments sur Internet ? Racontez votre expérience sur le blog de la revue _Notre santé_. (80 mots)**

_____
_____
_____
_____
_____
_____

GRAMMAIRE

1 **Transformez les phrases suivantes au discours indirect.**

1. Il dit : « Mon fils s'appelle Yann. »

_____

2. Elles affirment : « Nous sommes innocentes. »

_____

3. Vous répétez souvent : « Nous sommes les meilleurs. »

_____

4. Nous annonçons : « Nous déménageons. »

_____

5. L'hôtesse de l'air dit au passager : « Attachez votre ceinture. »

_____

6. Un professeur demande à ses élèves : « Écoutez et prenez des notes dans votre cahier ! »

_____

7. Un locataire demande à des amis, après une soirée : « Ne faites pas de bruit en sortant ! »

_____

2 **Mettez les questions suivantes au style indirect.**

1. Je demande à mon voisin : « Qu'est-ce que vous regardez ? »

_____

2. La boulangère me demande : « Comment allez-vous ? »

_____

3. Le touriste demande à la réceptionniste : « Est-ce que j'ai des messages ? »

_____

4. Mes enfants me demandent : « À quelle heure tu rentres ? »

_____

5. Olivier demande à son nouveau copain : « Où est-ce que tu habites ? »

_____

3 **Transformez les phrases suivantes au discours direct.**

1. Une cliente demande à la boulangère combien elle lui doit pour les croissants.

_____

2. Un passant demande à un enfant pourquoi il pleure, et s'il est tout seul.

_____

3. Le serveur demande à un client ce qu'il veut prendre comme boisson.

_____

4. Je demande à une amie si elle veut m'accompagner à la pharmacie.

_____

5. Le gendarme demande à un automobiliste de lui montrer les papiers de la voiture.

_____

4 **Choisissez la phrase qui rapporte les paroles suivantes.**

1. *Tu viens faire du jogging avec moi ?*
   a) David invite Bertrand à faire une activité sportive.
   b) David propose à Bertrand d'aller au gymnase.

2. *Une eau minérale, s'il vous plaît !*
   a) Lisa propose au serveur de lui apporter une eau minérale.
   b) Lisa commande une eau minérale.

3. *Tu éteins ta console tout de suite !*
   a) La mère gronde son fils parce qu'il joue trop aux jeux vidéo.
   b) La mère ordonne à son fils d'éteindre sa console.

4. *Madame, s'il vous plaît, où se trouve la poste ?*
   a) Manon demande un renseignement à une passante.
   b) Manon informe une passante.

5. *Léa, viens manger !*
   a) La mère propose à sa fille d'aller au restaurant.
   b) La mère appelle sa fille pour aller manger.

6. *Bonjour monsieur, asseyez-vous, s'il vous plaît.*
   a) La personne salue le monsieur et lui ordonne de s'asseoir.
   b) La personne salue le monsieur et l'invite à s'asseoir.

L'imparfait

5 **Conjuguez les verbes entre parenthèses à l'imparfait.**

1. Tu (avoir) _____ un appartement à la plage et tu (inviter) _____ souvent des amis.

2. Nous (être) _____ très contents quand nous (aller) _____ rendre visite à Mamie.

3. Richard (chercher) _____ son portefeuille, mais il ne le (trouver) _____ nulle part.

4. Elles (se promener) _____ près de la côte et (admirer) _____ le paysage en silence.

5. Je (venir) _____ le voir toutes les semaines et je lui (apporter) _____ toujours un cadeau.

6. Vous (vivre) _____ dans un pays du Nord, où il (neiger) _____ très fort en hiver.

6 **Complétez le texte suivant à l'aide des verbes de la liste, conjugués à l'imparfait.**

s'endormir • adorer • envoyer • jouer • se baigner • passer • s'amuser • repartir • être (x 2) • courir • accompagner

Quand j'_____ enfant, je _____ mes vacances d'été à la campagne. J'_____ ces vacances car je _____ beaucoup et c'_____ pour moi la liberté : je _____ avec mes voisins dans le petit bois qui était derrière la maison, on _____ dans le ruisseau et on _____ dans les champs. Ma tante m'_____ chercher le lait et les œufs à la ferme et quand je _____, les chiens m'_____ jusque chez moi.

Le soir, je _____ heureux et impatient de me réveiller le lendemain avec le chant des oiseaux !

LEXIQUE
Les paysages

1 Lisez les définitions suivantes et retrouvez les mots correspondants dans la grille.

1. On y cultive, entre autres, des céréales.

2. Elle est moins haute que la montagne.

3. Il y en a de très hautes dans l'océan.

4. Il descend très vite et en « chantant » de la montagne.

5. Dans les pays froids, il y en a d'éternelles.

6. Parfois, on y trouve des oasis où se rafraîchir.

7. Les plus réputées sont vierges.

8. À la plage, les enfants font des châteaux avec.

C	A	C	O	L	L	I	N	E	G
H	T	I	S	A	B	L	E	F	P
A	O	H	E	G	C	O	A	O	E
M	R	G	S	Q	C	M	X	R	Z
P	R	U	D	V	E	O	T	E	Y
F	E	C	D	E	S	E	R	T	H
K	N	E	M	T	E	Q	J	S	S
G	T	V	A	G	U	E	S	H	C
E	O	I	Y	N	E	I	G	E	S
L	Y	Z	Q	A	I	L	E	A	X
B	F	C	I	E	S	A	Q	E	B

2 Associez quatre des mots de l'activité précédente aux photos suivantes.

1. _____   **2.** _____   **3.** _____   **4.** _____

3 Observez le dessin ci-dessous et décrivez-le à l'aide des mots proposés.

montagnes • arbre • fleurs • église • ruisseau • forêt • cailloux • papillons •
vaches • village • herbes • pré • neige

Au premier plan, je vois _____

À droite, il y a _____

À gauche, on observe _____

Au centre, il y a _____

Au loin, on peut voir _____

La faune

4 De quel animal s'agit-il ? Complétez à l'aide des mots ci-dessous.

le coq • le chien • la tortue • la chèvre • la poule • la vache

1. Elle se déplace très lentement et rentre sa tête quand il y a un danger : _____

2. C'est un fidèle compagnon et le meilleur ami de l'homme : _____

3. On fait des fromages avec son lait et elle adore grimper sur les rochers : _____

4. Elle pond en général un œuf par jour : _____

5. Les enfants boivent son lait tous les matins : _____

6. C'est lui qui réveille le fermier à la campagne : _____

5 Charades.

1. Mon premier est le bruit qui accompagne un coup de fusil : _____

   Mon deuxième est la planète où nous habitons : _____

   Mon tout est un animal sauvage qui, parfois, est rose ! : _____

2. Mon premier est un article défini : _____

   Mon deuxième est un arbre résineux à feuilles persistantes : _____

   Mon tout est un petit animal qui a de longues oreilles et une petite queue : _____

3. Mon premier est un appareil ménager pour faire cuire les gâteaux : _____

   Mon deuxième est une note de musique : _____

   Mon tout est un très petit insecte qui vit en société organisée : _____

6 Complétez les expressions suivantes à l'aide des mots de la liste, puis reliez ces expressions à leur signification.

loup • poules • agneau • oiseau • chien • mule • canard

1. Mon grand-père se couche avec les _____.
2. Lundi dernier, il a fait un froid de _____.
3. J'ai une faim de _____.
4. Aujourd'hui, il fait un temps de _____.
5. C'est une vraie tête de _____.
6. Cet enfant est doux comme un _____.
7. Elle a un appétit d'_____.

a) Il est très gentil.
b) Il est têtu.
c) Elle mange très peu.
d) Il se couche très tôt.
e) Il a fait très froid.
f) J'ai très faim.
g) Il fait mauvais temps.

MON DICO PERSO
Souvenirs

Cet espace est à vous… Élaborez votre « dico perso » au fil des unités.

Proposez des rubriques qui correspondent au lexique abordé dans cette unité et notez les mots qui vous semblent utiles pour votre « dico perso » dans chacune de ces rubriques.

N'oubliez pas que vous pouvez trouver du lexique « utile » sur toutes les pages de l'unité !

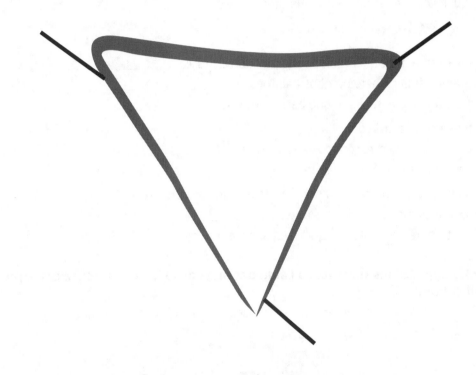

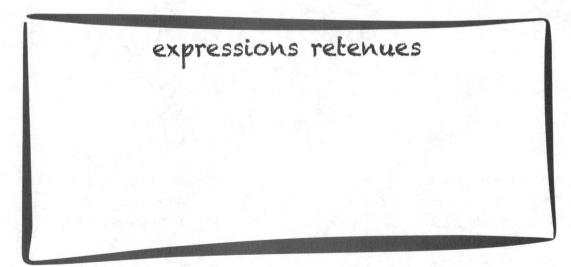

expressions retenues

Un conseil : passez ces listes au format numérique. Vous pourrez ainsi les compléter à l'infini, les personnaliser, les emporter avec vous…

À suivre…

PRONONCIATION

Des virelangues pour s'amuser !

1 Reconstituez six virelangues à partir des éléments suivants, puis écoutez l'enregistrement pour vérifier.

1. Il fait sécher ses
2. Ces six saucissons sont si secs
3. Dans ta tente
4. La roue sur la rue roule ;
5. Un plein plat
6. Trois tortues trottaient

a) sur un trottoir très étroit.
b) chaussures sous le feu.
c) de blé pilé.
d) qu'on ne sait si c'en sont.
e) ta tante t'attend.
f) la rue sous la roue reste.

2 Réécoutez les virelangues de l'activité précédente, répétez-les et entraînez-vous à les prononcer.

3 Choisissez un mot de chaque série pour compléter les virelangues suivants. Vérifiez ensuite à partir de l'enregistrement.

1. Son chat *chante / fredonne / murmure* sa chanson.
2. Un chasseur sachant chasser doit savoir chasser sans son *perroquet / chien / canard*.
3. Natacha n'attacha pas son chat Pacha, qui *s'échappa / s'enfuit / partit*.
4. Trois gros *rats / éléphants / coqs* gris dans trois gros trous ronds rongent trois gros croûtons ronds.

4 Comprenez-vous cette histoire ? Décodez à partir des lettres ci-dessous l'histoire de deux personnages appelés Hélène et Hervé. Écoutez ensuite l'enregistrement et corrigez votre texte, si besoin est.

LNMRV, RVEOQP, LNEAJT, ACRV ! RVACD, LNEEMU.

_____

_____

Grammaire et prononciation : l'imparfait

5 Indiquez la forme verbale (présent ou imparfait) que vous entendez.

1. **a)** Elle joue avec ses poupées.
   b) Elle jouait avec ses poupées.
2. **a)** Nous habitons en banlieue.
   b) Nous habitions en banlieue.
3. **a)** Ils finissent de dîner.
   b) Ils finissaient de dîner.
4. **a)** Vous pouvez le faire tout seuls ?
   b) Vous pouviez le faire tout seuls ?
5. **a)** Je passe l'après-midi à la maison.
   b) Je passais l'après-midi à la maison.
6. **a)** On adore faire des randonnées.
   b) On adorait faire des randonnées.
7. **a)** Tu manges au restaurant tous les dimanches.
   b) Tu mangeais au restaurant tous les dimanches.
8. **a)** Elle écoute de la musique classique.
   b) Elle écoutait de la musique classique.
9. **a)** J'aime lire avant de me coucher.
   b) J'aimais lire avant de me coucher.
10. **a)** Ils s'amusent dans le jardin.
    b) Ils s'amusaient dans le jardin.

COMPÉTENCES
ÉCOUTER

1 Écoutez cette situation, puis répondez aux questions.

1. Combien de coups de téléphone passe la jeune femme ?
_____

2. Combien de coups de téléphone reçoit-elle ?
_____

3. Combien de messages sur répondeur entendez-vous ?
_____

4. Les messages sur répondeur sont-ils personnalisés ? Si oui, lequel ou lesquels ?
_____
_____

2 Réécoutez la situation, puis répondez.

1 Comment s'appelle la jeune femme qui téléphone ?
_____

2. Quelles personnes appelle-t-elle ?
_____

3. Parvient-elle à joindre la première personne ? Que fait-elle ?
_____

4. Est-ce que Théo peut parler avec elle ? Pourquoi ?
_____

5. Quelle bonne nouvelle veut-elle annoncer aux personnes à qui elle téléphone ?
_____

6. Quelle bonne nouvelle lui annonce sa mère ?
_____

3 Écoutez ces messages sur répondeur et répondez aux questions suivantes.

1. Quels messages ont été enregistrés par… ?
  a) les propriétaires des téléphones : _____
  b) les personnes qui veulent contacter les propriétaires des téléphones :
  _____

2. Dans quel(s) message(s) utilise-t-on… ?
  a) un langage formel : _____
  b) un langage familier : _____

3. Quel(s) message(s) est / sont… ?
  a) d'ordre professionnel : _____
  b) d'ordre personnel : _____

PARLEr

4 **À qui s'adressent les expressions suivantes ? Choisissez la bonne réponse.**

1. *Super !*
   a) Au pharmacien, quand il vous donne des médicaments.
   b) À un ami, qui accepte votre invitation.
   c) Au réceptionniste de l'hôtel, qui vous donne la clé de votre chambre.

2. *Pas mal !*
   a) À une amie, qui est malade.
   b) Dans un débat, quand vous faites un commentaire désagréable.
   c) À un ami, quand quelque chose vous plaît.

3. *Désolé(e) !*
   a) À quelqu'un, pour vous excuser.
   b) À un ami qui se sent seul, pour lui faire plaisir.
   c) À un collègue, pour accepter son invitation.

4. *Dommage !*
   a) Au commissaire, quand vous lui expliquez que vous avez perdu vos bagages.
   b) À votre ami, qui ne peut pas vous accompagner au cinéma.
   c) À l'employé de l'aéroport quand il vous indique l'avion à prendre.

5. *Alors, tu viens ou pas ?*
   a) À votre chef, pour savoir s'il accepte votre invitation.
   b) Au pharmacien, quand il vous indique un médecin dans le quartier.
   c) À votre voisin de chambre, avant d'aller au cinéma.

5 **Yannick et Sylvana parlent de leurs vacances. Remettez le dialogue dans l'ordre.**

Yannick

a) Ah, bon. J'sais pas si je vais accepter… (rires)

b) Ah, ça oui. Les poissons, les fruits de mer… Excellent !

c) Alors ces vacances ! Ça s'est bien passé ?

d) Bon, mais parce que c'est toi.

e) Comme de parfaits vacanciers, c'est ça ?

f) En Normandie, dans un gîte rural. La seule chose, c'est qu'il a fait un temps très variable.

g) Moi, moins bien que toi apparemment, mais pas mal quand même.

Sylvana

h) En fait, demain je dois aller chez le médecin avec Noah et j'ai besoin de partir plus tôt du travail. Je sais que normalement tu pars à 17 h, mais si tu pouvais rester jusqu'à 19 h, ça m'arrangerait.

i) Dis, je voulais te demander un service…

j) Géant ! Je t'assure. On a fait un peu de tout : la plage, la montagne…

k) Merci, t'es un ange.

l) Normal, non ? Mais les gens sont très accueillants là-bas et on y mange super bien.

m) C'est ça, mais il était temps. L'année dernière, on n'a pas pu partir alors là, on avait besoin de se défouler un peu. Et toi ?

n) Vous êtes allés où ?

1	2	3	4	5	6	7	8	9	10	11	12	13	14

COMPÉTENCES
LIRE

6 Lisez l'article ci-dessous.

Accueil   Actualités   Cahiers pratiques   Reportages   Contact

Accueil ▶ Reportages

PAYSAGES FRANÇAIS INSOLITES

Vous rêvez de grands voyages et de paysages exotiques, mais vous n'en avez pas les moyens ? Qu'à cela ne tienne ! Il existe en France des endroits de rêve qui vous dépayseront totalement. Suivez-nous !

Comme aux Seychelles mais... en Corse !

Eh oui, l'île de Beauté porte bien son nom et même si vous rêvez devant une carte postale des Seychelles, vous serez comblé(e) dans les îles Lavezzi, aux eaux d'un bleu turquoise. L'eau y est transparente et les plages de sable fin nombreuses. Les paysages sont uniques grâce au contraste entre la couleur de la mer et les rochers granitiques aux formes arrondies. Vous pourrez découvrir les îles le long des nombreux sentiers qui les traversent et qui vous mèneront aux criques pour vous rafraîchir.

Un avant-goût de Colorado.

Eh oui, la France aussi a son Colorado, très exactement à Rustrel, en Provence. Sur 30 hectares, vous découvrirez une variété de reliefs : falaises, grottes, pitons dans une gamme de couleurs qui va du jaune au rouge carmin. Site historique, ce paysage est le résultat de l'activité humaine, du temps où on extrayait le sable ocre pour en obtenir la couleur.

Le désert vous attire ? La dune du Pilat vous attend.

C'est la plus haute dune d'Europe. Elle se trouve à l'entrée du bassin d'Arcachon, au cœur de la forêt des Landes. Sur 2,7 km de long, vous vous croirez au Sahara et vous admirerez un magnifique panorama avec l'océan Atlantique à perte de vue d'un côté, et l'immense forêt de pins de l'autre côté. Mais attention ! Allez-y en basse saison car c'est un site très fréquenté en été !

Les grands espaces comme au Canada.

Vous aimez la nature, les grands lacs et les forêts ? Alors rendez-vous au lac de Lispach dans les Vosges. D'une superficie de 10 hectares, et situé à 900 m d'altitude, c'est un lieu sauvage qui conviendra aux amateurs de promenades et de pêche, mais aussi à tous ceux qui aiment observer la faune et la flore.

Ce petit aperçu a éveillé votre curiosité ? Retrouvez d'autres endroits surprenants sur notre site Internet : www.enroute.com et votez pour celui que vous préférez. Vous gagnerez peut-être un voyage pour le découvrir !

7 **Répondez aux questions suivantes.**

1. D'après vous, ce texte est tiré d'…
   a) une brochure de tour opérateur.
   b) un magazine.
   c) un site Internet.

2. Il traite de lieux situés…
   a) dans le monde entier.
   b) en France.
   c) en Europe.

3. Qu'est-ce qui caractérise ces endroits ?
   a) Ils sont très connus.
   b) Ils sont très loin.
   c) Ils rappellent d'autres paysages connus dans le monde.

4. Est-ce que cette liste de lieux est exhaustive ?
   a) Oui.
   b) Non.
   c) On ne sait pas.

8 **Quels sont les quatre lieux français mentionnés dans le texte ? À quels autres lieux sont-ils comparés ? Pourquoi ?**

_____

_____

_____

9 **Associez un mot ou une expression à sa définition ou signification.**

1. Qu'à cela ne tienne !
2. dépayser
3. comblé(e)
4. À perte de vue
5. falaise
6. sentier

a) satisfait(e)
b) escarpement situé sur une côte maritime qui ressemble à un mur de roche
c) Peu importe !
d) petit chemin
e) donner une sensation de nouveauté
f) jusqu'à l'horizon

ÉCRIRE

10 **Vous écrivez à un(e) ami(e) pour lui dire que vous allez partir en vacances. Vous lui expliquez le type de vacances que vous avez choisi, les activités que vous ferez et comment vous vivrez.**

_____

_____

_____

_____

_____

_____

_____

_____

_____

Je peux me présenter aux épreuves du DELF A1.

ÉCOUTER *Je suis capable de...*

	En cours d'acquisition	Acquis	Maîtrisé
● Comprendre des consignes d'activités, les questions ou explications simples du professeur ou des autres étudiants.			
● Comprendre globalement des dialogues pédagogiques courts.			
● Comprendre différentes salutations et différentes formules de politesse.			
● Comprendre quelques formules pour appeler et répondre au téléphone.			
● Comprendre des présentations de personnes (physique et caractère) et des descriptions d'activités quotidiennes.			
● Comprendre des informations météo simples.			
● Comprendre des informations utiles dans des monologues et des conversations personnelles, professionnelles ou liées au tourisme.			

PARLER *Je suis capable de / d'...*

	En cours d'acquisition	Acquis	Maîtrisé
● Poser des questions pour demander des explications, dire que je ne comprends pas, commenter des activités simples et habituelles avec les personnes du groupe et avec le professeur.			
● Saluer, (me) présenter, utiliser des formules de politesse, tutoyer et vouvoyer.			
● Demander à quelqu'un de ses nouvelles et réagir.			
● Dire qui et comment je suis, ce que je fais habituellement à la maison, au travail, pendant les vacances, parler des gens que je connais et leur poser des questions sur ces thèmes.			
● Utiliser quelques formules simples pour parler et répondre au téléphone.			
● Dire ce que j'aime et ce que je n'aime pas.			
● Parler du temps qu'il fait.			
● Demander mon chemin et répondre à des questions sur ce thème.			
● Demander un service ou un produit courant.			
● M'exprimer avec des phrases simples dans une conversation, en faisant répéter, expliquer et reformuler quand je ne comprends pas.			

LIRE *Je suis capable de...*

	En cours d'acquisition	Acquis	Maîtrisé
● Comprendre les consignes d'activités ou les explications du livre.			
● Comprendre des textes très courts : petites annonces, mails.			
● Comprendre des cartes d'invitation ou de vœux et des cartes postales.			
● Comprendre des annonces immobilières et de tourisme.			
● Comprendre un plan, un itinéraire et des indications écrites.			
● Comprendre globalement des textes informatifs courts et très simples qui parlent de la vie familière, professionnelle ou de loisirs.			

ÉCRIRE *Je suis capable de / d'...*

	En cours d'acquisition	Acquis	Maîtrisé
● Remplir des formulaires : état civil, inscription à des organismes.			
● Écrire des petites annonces et des mails sur des thèmes personnels ou professionnels.			
● Écrire des cartes d'invitation ou de vœux et des cartes postales.			
● Écrire des annonces immobilières (appartements et maisons).			
● Écrire une liste de courses.			
● Écrire de courts textes qui présentent et décrivent des personnes et leurs activités.			

J'ai commencé à me préparer au DELF A2.

ÉCOUTER *Je suis capable de...*

	En cours d'acquisition	Acquis	Maîtrisé
● Comprendre les explications et les commentaires du professeur et des personnes du groupe sur les activités, les résultats, l'apprentissage.			
● Comprendre des explications, des informations, des comparaisons, des appréciations sur des produits ou des services.			
● Comprendre de façon précise des prix, des modes de paiement, des quantités.			
● Comprendre suffisamment des opinions diverses pour intervenir dans une conversation ou une discussion sur des thèmes courants.			
● Comprendre des propositions, des conseils, des besoins et des ordres.			
● Comprendre des conversations personnelles ou commerciales qui parlent de voyages (hôtels ou autres logements, transports, santé).			
● Comprendre les points clés dans des émissions de radio (météo, débat, reportage sur la vie de quelqu'un).			
● Comprendre des informations sur la vie présente et passée d'une personne.			

PARLER *Je suis capable de...*

	En cours d'acquisition	Acquis	Maîtrisé
● Demander des informations sur les cours et des conseils pour mon apprentissage, parler assez facilement avec les autres personnes du groupe quand nous faisons des activités ensemble.			
● Demander la parole, demander des explications sur ce que je ne comprends pas.			
● Parler de façon simple dans des conversations, des monologues ou des débats sur des thèmes abordés en classe.			
● Demander et donner des renseignements sur des endroits, des itinéraires, des quartiers, des villes.			
● Demander et donner des renseignements sur la météo, l'hygiène de vie, l'état de santé.			
● Demander et donner des renseignements sur les études et le parcours professionnel.			
● Parler de la vie passée, raconter quelques souvenirs.			
● Dire si je suis d'accord ou non, ce que je préfère, ce que je n'aime pas.			
● Parler de projets.			
● Demander des informations et parler d'aliments, de produits et de services, en indiquant leurs prix, leurs caractéristiques, et en les comparant.			

LIRE *Je suis capable de...*

	En cours d'acquisition	Acquis	Maîtrisé
● Comprendre de courts textes qui parlent d'activités quotidiennes, de vacances, de voyages.			
● Comprendre des lettres formelles de demande de services (réservation d'une chambre d'hôtel, recherche d'un appartement…).			
● Comprendre un texte court de brochure touristique sur un quartier, une ville, une région et des extraits de guides touristiques donnant des informations sur le logement, le transport, la santé.			
● Comprendre de courts articles de journaux ou de blogs.			
● Comprendre des menus, des recettes.			
● Comprendre des tests psychologiques de magazine.			
● Comprendre globalement des textes descriptifs ou narratifs simples (contes, biographies).			
● Comprendre des textes instructifs (conseils d'utilisation, informations pratiques).			

ÉCRIRE *Je suis capable de / d'...*

	En cours d'acquisition	Acquis	Maîtrisé
● Écrire de courts textes qui parlent d'activités quotidiennes ou de vacances : cartes postales, lettres, mails…			
● Écrire un court texte avec des connecteurs simples pour décrire un endroit, une ville, une région.			
● Écrire un court texte avec des connecteurs pour raconter un événement simple et pour donner des éléments biographiques.			
● Écrire des mails et des lettres formelles de demande de services : réservation d'une chambre d'hôtel, confirmation…			
● Écrire des menus, des recettes.			
● Écrire ou prendre en note des messages personnels, d'excuse et de demandes diverses.			
● Écrire des textes créatifs simples et bien organisés sur des thèmes variés (loisirs, activités, famille, goûts…).			

Transcriptions

Unité 1

Page 9

1 **Écoutez et classez les mots suivants selon leur terminaison.**

argent, art, avoir, bal, bon, ciseaux, clavier, dur, effet, garçon, gommes, gros, intuitif, lunettes, mouchoir, neuf, papier, sec, sirop, vin, voulez

2 **Écoutez et indiquez si les groupes « article + nom » sont au singulier ou au pluriel.**

1. J'aime les restaurants de cette rue.
2. Le téléphone portable ne marche pas.
3. Tu me prêtes le roman de Gavalda ?
4. Sonia m'a présenté les copains de Simon.
5. Le conseil d'Anaïs m'exaspère.
6. Je termine les cours à dix-huit heures.
7. Nous voulons acheter les CD de Raphaël.
8. Je ne retrouve pas le cartable.

3 **Écoutez et indiquez si les verbes sont au singulier ou au pluriel.**

1. Elle aime la musique classique.
2. Ils habitent à Lille.
3. Elles annoncent une fête chez elles.
4. Ils étudient une heure tous les jours.
5. Elle achète les croissants chez le boulanger.
6. Il entre toujours le dernier.
7. Il a un appartement à Paris.
8. Ils ont beaucoup de travail à faire.

4 **Mettez les phrases suivantes au pluriel, puis vérifiez la prononciation à l'aide de l'enregistrement.**

1. Les enfants mangent les gâteaux.
2. Les bébés pleurent et jettent les biberons par terre.
3. Les filles préfèrent les promenades du matin.
4. Les garçons adorent marcher sur les boulevards.

Page 10

1 **Écoutez le dialogue et choisissez l'option correcte.**

– Regarde là-bas, c'est Valentina !
– Valentina ? Qui est-ce ?
– C'est la fille à côté de la fenêtre. Tu ne la connais pas ?
– Non, elle a l'air sympa !
– Oui, elle est italienne, mais elle parle très bien français. Elle est très amusante !
– Elle étudie avec toi ?
– Oui. Viens, je vais te la présenter !
– D'accord, avec plaisir !

2 **Écoutez, puis, dites si c'est vrai ou faux.**

– Salut Léo.
– Tiens, bonjour, ça va ?
– Non, ça ne va pas. J'ai beaucoup d'examens.
– Tu vas à la bibliothèque ?
– Non, je vais en salle multimédia. J'ai rendez-vous avec Emma pour étudier l'anglais.
– Emma ! Quelle chance, elle est super !
– Oui, et après on va au cinéma…
– Au cinéma avec Emma…
– Oui, tu viens avec nous ?
– Non, j'ai cours… C'est dommage !

3 **Écoutez ces mini-dialogues et dites si ces personnages vont bien, pas très bien ou ne vont pas bien.**

1. – Bonjour monsieur Lebrun. Comment allez-vous aujourd'hui ?
   – Pas très bien. Je dors très mal !
2. – Bonjour Matthis, ça va ?
   – Oui, super ! C'est enfin le week-end !
3. – Salut Laurie, ça va ?
   – Non ! Je ne peux pas sortir, je dois garder ma petite sœur !!!

Page 13

9 **Dictée. Écoutez et complétez.**

Il s'appelle Mario. Il est italien. Il est professeur à l'université. Il a cours en salle dix.
Olga est russe. Elle est jeune : elle a 22 ans. Elle est étudiante. Elle parle anglais et français. Elle est très sympa.

Unité 2

Page 19

1 **Écoutez et comptez le nombre de syllabes prononcées dans chaque phrase.**

1. Salut, Paul !
2. Bonsoir !
3. Il est grand.
4. Elles sont belles.
5. Je suis français.
6. Au revoir, Ginette !
7. C'est la prof.
8. Il mange.

Transcriptions

3 Écoutez les phrases suivantes et entourez la syllabe accentuée.

1. Il est beau.
2. Elle est triste.
3. C'est une dame.
4. Bonjour !
5. Il est timide.

6 Écoutez et indiquez si les groupes « article + nom » sont au masculin ou au féminin.

1. une copine
2. un travail
3. une place
4. un appartement
5. un visage
6. un œil
7. une dame
8. une oreille

7 Écoutez et dites si l'on parle d'un homme, d'une femme ou si on ne sait pas.

1. Danielle est contente.
2. Claude est antipathique.
3. Tu es blond.
4. Marcel est bavard.
5. Michelle est rousse.
6. Joël(le) est célibataire.
7. Dominique est créative.
8. Gabriel(le) est fidèle.

Page 20

1 Le jeu des portraits. Écoutez cette émission et remplissez la fiche concernant la personne décrite. Attention ! Il y a plus de rubriques que d'informations données.

– Bienvenue à notre jeu ! La personne qui découvre le nom de cet artiste gagne 100 euros ! Un premier appel, bonjour :
– Bonjour, c'est un homme ?
– Non. Un autre appel :
– C'est une femme alors. Elle est jeune ?
– Oui.
– Elle est française ?
– Oui.
– C'est une actrice ?
– Non, désolé. Un autre appel :
– Bonjour, c'est une chanteuse ?
– Oui.
– Elle est grande et brune ?
– Oui ! Qui est-ce ? Vous avez 5 secondes pour répondre…

– Ah ! Je sais, c'est…, c'est… Zut ! Comment elle s'appelle ?
– Désolé madame, vous avez perdu…

2 Écoutez le dialogue et dites si les affirmations sont vraies ou fausses.

– Allô !
– Bonjour, c'est pour l'annonce des rollers. Je suis intéressé.
– Super ! Tu es étudiant ?
– Oui, je suis en fac de droit, et toi ?
– Moi, j'étudie à la fac de sciences. On est sur le même campus !
– Alors on peut se donner rendez-vous à la cafétéria, à l'entrée…
– Bonne idée ! Demain à 10 h ?
– D'accord.
– Comment tu t'appelles ?
– Jonathan, et toi ?
– Maxime.
– Tu es comment ?
– Je suis grand, brun, j'ai les cheveux courts, les yeux noirs… Et toi ?
– Moi, c'est le contraire ! Assez petit, blond et les cheveux mi-longs…

3 Visites guidées au musée. Écoutez et associez chaque mini-dialogue à un portrait.

1. – Ce portrait est représentatif du style unique de cet artiste. Que remarquez-vous ?
   – Le visage est allongé et le cou est très long.
   – Oui, en effet.
   – Et la tête est inclinée.
   – Oui, et comment est le nez ?
   – Le nez est long aussi, et fin.
2. – Elle est belle !
   – Oui, jeune, belle, sensuelle… C'est un chef-d'œuvre !
   – Qu'est-ce qui caractérise ce portrait ?
   – Principalement le visage : il est ovale, délicat, avec de grands yeux noirs et brillants. Le nez est très fin et la bouche sensuelle.
   – Et la perle fait écho aux yeux, il me semble.
   – Tout à fait !

Page 23

8 Dictée. Écoutez et complétez.

1. Le prof de français est très sympa. Il est grand et brun.
2. Tu connais la fille là-bas ? La grande blonde ! Elle est en salle cinq, à côté de nous.
3. Qu'est-ce que tu fais ici, Claire ? Tu habites à

Transcriptions

Toulouse maintenant ?

4. Le directeur a les yeux verts et il porte des lunettes.
5. Je vais passer une petite annonce pour trouver un correspondant francophone.

Unité 3

Page 29

1 **Écoutez l'enregistrement et indiquez la phrase que vous entendez.**

Tu as 11 ans ?
Nicolas est dans la même classe.
À midi, vous restez à la cantine.
L'école finit à quatre heures moins le quart ?
Tu préfères l'école ?
Vous êtes prêtes.

2 **Classez les phrases dans le tableau, puis vérifiez avec l'enregistrement.**

1. Comment elle s'appelle ?
2. Elle s'appelle Nadine.
3. Où est-ce qu'elle va ?
4. Elle habite à Bari.
5. Quel âge elle a ?
6. Elle a 18 ans ?

3 **Écoutez et indiquez si les verbes sont au singulier, au pluriel ou si on ne sait pas.**

1. Le matin, ils achètent le journal.
2. Il(s) promène(nt) le chien de la voisine.
3. Le dimanche, il(s) se lève(nt) à midi.
4. Ils envoient des cartes à tous les amis.
5. Il essuie la vaisselle.
6. Il essaie d'arriver à l'heure.
7. Il(s) paie(nt) les consommations.
8. Il appelle la collègue de sa femme.

4 **Écoutez et indiquez si les verbes sont au singulier ou au pluriel.**

1. Elles choisissent une robe bleue.
2. Ils attendent l'autobus.
3. Elle ne finit pas à trois heures et demie !
4. Il ne dort pas assez.
5. Ils connaissent bien cette région.
6. Elles lisent des romans d'aventures.
7. Il écrit une lettre d'amour.
8. Elle conduit une voiture sportive.

5 **Écoutez les phrases au singulier et mettez-**

les au pluriel.

1. Il finit de travailler à dix-huit heures trente.
2. Elle attend le bus numéro trente-deux ?
3. Elle appelle au bureau tous les jours.
4. Il lit le journal sur Internet.
5. Il paie par carte.

Page 30

1 **Écoutez cette interview radiophonique et choisissez la réponse correcte.**

– Actuellement sur scène au théâtre et en promotion pour le film *L'homme d'à côté*, Jean Marin est notre invité pour parler de son dernier livre intitulé : *Demain, peut-être*. Jean Marin, bonjour. Où trouvez-vous le temps de tout faire ? Quel est votre secret ?
– Eh bien mon secret, c'est une bonne organisation. Je me lève tôt tous les jours, à sept heures trente et je commence la journée par un footing. Après la douche, je prends un petit déjeuner bien consistant. Le matin, je commence par lire mes mails et habituellement je me consacre à mon projet d'écriture.
– Et vous déjeunez chez vous ?
– Ça dépend, mais je déjeune toujours avec ma femme et mon fils.
– Et l'après-midi ?
– Eh bien… je fais une petite sieste et je pars au théâtre vers seize heures.
– Vous travaillez le week-end ?
– Ça dépend. Quand je ne fais pas la promotion d'un film, non. Je reste avec ma famille.
– Vous allez souvent au théâtre ou au cinéma ?
– Bien sûr ! C'est ma passion ! Surtout le week-end.
– Très bien. Parlons maintenant de votre dernier livre…

3 **Écoutez ces conversations ou messages téléphoniques et complétez le tableau.**

1. – Laissez votre message après le bip sonore…
   – Salut Nadia, qu'est-ce que tu fais ? Je suis au café de la Paix, je t'attends. Rappelle-moi !
2. – Entreprise Morin, bonjour !
   – Bonjour madame, je voudrais parler à monsieur Larcaux, s'il vous plaît.
   – Il est en réunion. C'est de la part de qui ?

– Monsieur Dumas, de la société Lebel.

– Pouvez-vous rappeler dans une heure ?

– Très bien, dans une heure, alors.

– Merci monsieur, au revoir.

– Au revoir.

3. – Allô.

– Bonjour madame, c'est Martin, est-ce que Nolwen est là, s'il vous plaît ?

– Oui, ne quitte pas, je l'appelle.

– Merci !

– Nolwen, Martin au téléphone !

– Salut Nolwen, c'est Martin, ça va ?

– Salut Martin ! Ça va et toi ?

– Ça va. Qu'est-ce que tu fais ?

– Je range ma chambre… Pourquoi ?

– Ça te dit d'aller voir *Les intrus* au cinéma ce soir ?

– À quelle heure ?

– À dix-neuf heures trente, au Gaumont.

– OK, bonne idée !

– Super ! À ce soir !

Page 33

9 Dictée. Écoutez et complétez.

1. Elle adore faire la cuisine le week-end.
2. Je mets la table tous les soirs.
3. À quelle heure vous partez travailler le matin ?
4. Tu t'endors facilement le soir ?
5. Justin n'a pas cours l'après-midi.
6. Où est-ce que tu déjeunes ?

Unité 4

Page 39

1 Écoutez et soulignez le mot que vous entendez.

1. Tu cuisines des mets succulents.
2. Ils vont faire du saut à l'élastique.
3. Vous avez un plan de Bordeaux ?
4. Les yaourts sont à base de lait.
5. Combien coûte ce pot de confiture ?
6. Le poulet au curry est son plat préféré.
7. Cet homme est très grand.
8. Le pont du Gard est d'origine romaine.
9. Mes voisins sont québécois.
10. Il y a beaucoup de gras dans le mouton.
11. Cette veste en lin est très jolie, mais un peu chère.
12. Ma grand-mère a de petites mains très fines.

3 Choisissez le mot qui convient pour compléter les phrases suivantes, puis vérifiez avec l'enregistrement.

1. Vous avez vu le plan de l'appartement ?
2. Albert est grand et mince.
3. Sur le pont d'Avignon, on y danse, on y danse.
4. Ils sont fatigués, ils ne sortent pas.
5. Je prends toujours du lait écrémé, je ne veux pas grossir.
6. Un nain est une personne de taille anormalement petite.

4 Écoutez et répétez.

Série A : 1. Il est méchant. 2. Tu as le temps ?
3. Tu arrives quand ?
Série B : 1. Il est blond. 2. C'est son nom.
3. Il joue du violon.
Série C : 1. Il est musicien. 2. C'est mon copain.
3. Donne-moi la main.

5 Écoutez indiquez si les verbes sont au singulier ou au pluriel.

1. Elles doivent rentrer à midi.
2. Elle vient te chercher ?
3. Elles reviennent demain.
4. Il boit à petits coups.
5. Il prend le train à midi.
6. Ils reçoivent souvent des amis.
7. Il peut partir sans moi.
8. Elle veut s'acheter des chaussures.
9. Elles ne peuvent pas rentrer à minuit.
10. Ils veulent venir avec nous cet après-midi.

Page 40

1 Écoutez le dialogue et choisissez l'option correcte.

– Hé ! Attention, madame ! Regardez devant vous !

– Oh, pardon monsieur !

– Tiens, mais c'est madame Leroy ! Vous me reconnaissez ?

– Mais oui, bien sûr, monsieur Henry. Excusez-moi, comment allez-vous ?

– Très bien, merci ! Qu'est-ce que vous devenez ? Ça fait longtemps qu'on ne vous voit pas dans le quartier.

– Tout va bien. Les enfants grandissent…

– Ils ont quel âge maintenant ?

– Ma fille a 16 ans et mon fils 13 ans. Et votre femme, elle va bien ?

– Oui, elle travaille maintenant. Elle est agent immobilier.

– Elle est contente ?

– Oui, ça va, c'est un métier difficile et incertain, mais ça lui plaît. Au fait, c'est bientôt l'été ! Vous avez des projets de vacances ?

– Oui, nous allons partir 10 jours à la montagne avec ma sœur, mon beau-frère et mes neveux. Mes enfants s'entendent très bien avec leurs cousins… Et vous ?

– Ah, nous, c'est la mer ! Nous adorons nous baigner, faire de la planche à voile… Cette année, nous allons partir en Vendée. Nous prenons toujours nos vacances en septembre, il y a moins de monde.

– Oui, vous avez raison. Nous, à cause des vacances scolaires, nous devons partir en juillet ou en août…

2 Écoutez et dites à quelles professions font référence ces mini-situations.

1. – Voyons, enlevez votre pull. Respirez… très bien, maintenant toussez… C'est une bronchite !
    – C'est pour ça que j'ai mal à la poitrine.
2. – Bonjour, asseyez-vous, s'il vous plaît. En silence ! On va corriger les exercices. Ouvrez le livre, page 33. Qui veut répondre ?
    – Moi, moi !
3. – Bonjour, vous avez choisi ?
    – Je vais prendre un café, et toi ?
    – Un jus d'orange, s'il vous plaît.
    – Très bien, un café et un jus d'orange.
4. – Ouvrez la bouche. Cette dent vous fait souffrir ?
    – Oui.
    – C'est une carie.
5. – Mon client n'est pas coupable, monsieur le juge. Au contraire, c'est la victime !
    – Nous vous écoutons.

Page 43

7 Dictée. Écoutez et complétez.

En hiver, je pars à la montagne avec ma famille pendant les vacances de février. Je fais du ski tous les jours avec mon père. Ma sœur fait du roller avec ses copains. Ma mère fait des promenades, lit des romans et des magazines. Le soir, on joue aux cartes, on regarde un film ou on prend un verre au bar de la station.

Unité 5

Page 49

1 Écoutez et soulignez le mot que vous entendez.

1. pire
2. nu
3. sur
4. mou
5. cire
6. lourd
7. ri
8. doux

2 Écoutez les phrases et classez les mots suivants selon qu'ils contiennent un des sons [i], [y], [u].

1. L'autoroute jusqu'à Toulouse est bouchée à cause de travaux.
2. L'hôtel de ville est à côté du musée d'Aquitaine.
3. La pharmacie et le supermarché sont sur cette avenue.
4. Les touristes visitent les monuments de la ville.
5. En face de l'église, il y a une très bonne brasserie.

3 Écoutez et dites si les phrases que vous entendez contiennent ou non le son [y].

1. La lune est un satellite.
2. Il joue dans la cour.
3. Jacques a dit « facile ».
4. Les enfants ont sauté le mur de l'école.
5. Prenez la première route après le carrefour.
6. Je ne vois pas l'arrêt du bus.

4 Écoutez et répétez chaque phrase.

1. Il est sourd comme un pot.
2. Ce film est nul.
3. J'achète un mètre de tissu.
4. Il écrit en français.
5. Je déteste le jus de pomme.
6. Passe-moi cette revue.
7. Il est assis par terre.
8. Je prépare la lecture d'un poème.

5 Écoutez et complétez la transcription.

1. Muriel dit qu'elle arrive samedi à midi.
2. Arthur ! Où es-tu ?
3. Vous êtes sûrs que Jules est parti ?

4. Tu as dit « deux » ou « douze » ?

5. Il est sûr de réussir.

6 **Écoutez et indiquez si les phrases s'adressent à une ou à plusieurs personnes.**

1. Répétez les phrases suivantes.

2. Corrigez les erreurs de ce texte.

3. Complète avec un adjectif possessif.

4. Parle plus fort, je n'entends pas.

5. Prononcez encore une fois.

6. Observe le tableau et réponds aux questions.

7 **Écoutez ces phrases et complétez la terminaison des verbes avec *-ez* ou *-er*.**

1. Arrêtez la voiture ! Vous conduisez trop vite !

2. Prenez la première rue à droite, puis tournez à gauche.

3. Le train pour Paris va arriver à quinze heures trente, quai numéro trois.

4. Écoutez le dialogue plusieurs fois, puis répétez.

5. J'aime beaucoup inventer des dialogues.

6. Je vais changer de place, je ne vois pas le tableau.

Page 50

1 **Écoutez le dialogue et choisissez l'option correcte.**

– Oh là là, on tourne en rond ! Et on va rater le train !

– Attends, je vais demander à la dame. Excusez-moi, madame, on cherche la gare. Vous pouvez nous indiquer le chemin, s'il vous plaît ?

– Désolée, mesdemoiselles, je n'habite pas à Bordeaux, je ne peux pas vous aider…

– Demandons au monsieur qui sort de sa voiture, là-bas.

– Ah oui ! Monsieur, s'il vous plaît ! Pouvez-vous nous dire où est la gare, s'il vous plaît ?

– La gare SNCF ? Vous n'êtes pas loin. C'est très simple ! Prenez cette rue, là, devant vous, jusqu'au premier feu et tournez à gauche. Puis prenez la première à droite, après la banque. Ensuite, traversez le jardin public. La gare se trouve derrière.

– C'est loin ?

– Non, à 500 mètres environ et il y a des panneaux d'indication.

– Ouf ! Merci beaucoup monsieur, au revoir.

– Au revoir mesdemoiselles, bon voyage !

– Bon, on y va ? Alors c'est cette rue, on voit le feu d'ici. Alors au feu, on tourne à… mince,

je ne me souviens plus si c'est à droite ou à gauche…

– Oh là là, quelle mémoire !

Page 53

8 **Dictée. Écoutez et complétez.**

– Où est la poste ?

– Tournez dans la rue à gauche et continuez tout droit jusqu'à la mairie. Vous allez voir la poste en face. C'est tout près.

Unité 6

Page 56

1 **Qui dit quoi ? Écoutez ces trois personnes parler du choix de leur lieu de résidence et cochez la case correspondant aux mots de chacune. Attention les mots sont présentés dans le désordre !**

– Pouvez-vous nous expliquer pourquoi vous avez choisi l'endroit où vous habitez ?

1. – Moi, si j'habite à la campagne c'est parce que j'adore voir des prés avec des moutons ou des vaches et puis l'odeur de l'herbe et des plantes. Mais surtout, j'adore vivre dans un petit village… Voilà, c'est ça !

2. – Eh bien moi, j'aime la mer, l'océan, les bateaux, le ski nautique, tous les sports nautiques en fait. Alors, c'est bien évident, j'ai choisi de vivre en bord de mer et juste devant la plage, en plus !

3. – Pourquoi j'habite là où j'habite ? C'est facile ! Si je ne vois pas des montagnes, le matin quand je me lève, je suis triste et de mauvaise humeur toute la journée ! Il me faut de la neige, des forêts, des sommets tout blancs en hiver, tout verts en été et alors je suis heureuse !

Page 59

1 **Écoutez et cochez la case correspondante.**

[e]/[ɛ]

1. téléphone

2. amer

3. élégant

4. lessive

5. abbé

6. air

[e]/[ø]

1. abbé

2. bleu

3. douteux

4. électrique

5. élu

6. ceux

Transcriptions

2 Écoutez.

1. Classez les mots selon qu'ils contiennent le son [e] comme « équipée », [ɛ] comme « elle », [ø] comme « peu ».

clair - jeu - étage - banlieue - cette - mer - il veut - jeudi - près - vous avez - acheter - téléphone

4 Écoutez et complétez avec *ce* ou *ces*.

1. Ce logement est idéal pour une famille.
2. Ces canapés, confortables ?
3. Il revient d'Inde où il a acheté ce joli tapis.
4. Ce salon, moderne ? Moi, je le trouve démodé.
5. Il veut repeindre ces murs en blanc.
6. Ils ont décidé de louer ce studio.

Page 60

2 Écoutez la description de ce paysage et dessinez-le. Ensuite, comparez votre dessin au dessin qui se trouve à la fin du cahier.

En commençant au centre de la page, dessinez une maison rectangulaire à un étage. Au premier étage, il y a 3 fenêtres. Au rez-de-chaussée, une porte au milieu et deux fenêtres. Sous la fenêtre de droite, il y a une bicyclette posée contre le mur et à gauche de la maison, une voiture. Devant la maison, une terrasse, rectangulaire aussi, avec des fleurs autour. Sur la droite, dessinez une table carrée avec 4 chaises. À droite de la maison, 3 grands arbres font de l'ombre et il y a un hamac entre 2 arbres. Derrière la maison, il y a un pré avec une vache. Et au fond, on voit la mer avec des bateaux. Il fait beau, le soleil brille, des oiseaux volent dans le ciel.

3 Qui peut dire ces phrases ? Écoutez, puis cochez la case correspondante pour chaque phrase.

1. La cuisine est équipée ?
2. C'est grand et lumineux ! Félicitations !
3. Alors, départ le vendredi à dix-huit heures et retour le lundi à vingt heures. Je fais la réservation ?
4. Appelle Claire, elle déménage et elle laisse son deux-pièces.
5. Est-ce que le gîte est libre pour le week-end du quinze août ?

Unité 7

Page 69

1 [ɛ] / [œ]. Écoutez et dites si les mots que vous entendez sont identiques ou différents.

1. Caire - cœur
2. père - peur
3. leur - leur
4. meurt - mère
5. serre - serre
6. l'air - leur
7. sœur - serre
8. beurre - beurre

2 [œ] / [ɔ]. Écoutez et dites si les mots que vous entendez sont identiques ou différents.

1. port - peur
2. sœur - sœur
3. bord - bord
4. mort - meurt
5. cœur - cœur
6. sort - sœur
7. faire - fort
8. Laure - leur

3 Écoutez et répétez les phrases enregistrées.

1. Il a mal au cœur.
2. Il n'est pas mort.
3. Il est très fort.
4. Il pense le faire.
5. Laure est malade.
6. Ils invitent leurs parents.
7. Son père est médecin.
8. Achète du beurre.

4 Choisissez le mot qui convient pour compléter les phrases, puis vérifiez avec l'enregistrement.

1. Elle passe ses vacances au bord de la mer.
2. Les croissants au beurre, c'est délicieux !
3. Ce petit port de pêcheurs a un charme particulier.
4. Beaucoup de personnes ont peur de l'avion.
5. Alexandra est généreuse, elle a le cœur sur la main.
6. C'est important d'écouter son corps pour être en bonne santé.

Transcriptions

5 Écoutez et classez les mots selon qu'ils contiennent le son [ɛ] de « mère », [œ] de « sœur », [ɔ] de « fort » ou [o] de « beau ». Soulignez ensuite les graphies qui correspondent à chaque son.

allô - belge - bêtes - bureau - Capitole - crèche - déjeuner - formidable - frigo - jeune - leur - métro - mignonne - prof - quarantaine - sport

7 Écoutez et dites si vous entendez la négation devant le verbe.

1. Une cigarette ? Non, merci, je ne fume jamais.
2. Elle chante pas très bien cette fille !
3. Vous connaissez pas la Normandie ?
4. Ce soir, je n'invite personne.
5. Elles demandent rien.
6. Je ne t'aime plus.
7. Il a pas faim pour l'instant.
8. On ne voyage jamais en bus.

8 Écoutez et dites si les verbes sont au présent ou au passé composé.

1. J'ai fait des études universitaires.
2. Je choisis un métier intéressant.
3. Je finis de préparer le déjeuner.
4. J'ai écrit un roman autobiographique.
5. J'ai lu un poème de Prévert.
6. Je conduis mes enfants à l'école.
7. J'ai grandi à la montagne.
8. Je dis qu'il n'a pas raison.

Page 70

1 Premier jour de travail. Écoutez le dialogue et répondez aux questions.

– Bonsoir ma chérie.
– Salut Antoine, tu es rentré tôt ce soir !
– Eh oui ! Alors, ta première journée de travail s'est bien passée ?
– Oui, très bien ! Je suis contente !
– Tu es arrivée à l'heure ?
– Oui, je suis même arrivée en avance mais pour le premier jour, je préfère. J'ai pris le métro finalement, ça va, c'est assez direct, je suis au bureau en une demi-heure.
– Eh bien raconte-moi !
– Ben, j'ai fait la connaissance de mes nouveaux collègues...
– Ils sont sympas ?
– Oui, très sympas ! On a déjeuné ensemble à midi. Je suis allée au bureau du personnel et j'ai signé mon contrat.

– Et tu as commencé à travailler ?
– Oui ! J'ai assisté à une réunion ! J'ai pris beaucoup de notes et j'ai suivi comme j'ai pu... Ah, et je me suis familiarisée avec le programme informatique de l'entreprise... Et toi, tu as passé une bonne journée ?
– Très bonne ! Bon, on va fêter ça, alors !
– Fêter quoi ?
– Ben, ton premier emploi ! J'ai préparé ton plat préféré et j'ai acheté une bouteille de champagne !
– Oh, merci ! Dis, quand est-ce qu'on se marie ?

Page 73

9 Dictée. Écoutez et écrivez.

J'ai deux amis canadiens à l'université et je les vois souvent parce que je fais un stage dans leur pays.
J'ai aimé les grandes villes mais je ne les aime plus.
J'ai fait des études secondaires et maintenant je fais une formation en entreprise.

Unité 8

Page 79

1 Écoutez et cochez le son que vous entendez.

1. labeur	4. veau	7. pomme
2. boule	5. vol	8. baume
3. phase	6. bâche	9. foie

2 Écoutez et dites si les mots de chaque série sont identiques ou différents.

1. avis - habit - avis
2. bâtir - pâtir - pâti
3. abbé - abbé - abbé
4. fois - fois - vois
5. pont - pont - pont
6. ver - fer - paire

3 Cochez les phrases que vous entendez puis répétez après l'enregistrement.

1. Vous avez vu ?
2. Il a dit « fin » ?
3. Jette la pierre !
4. Regarde le bol !
5. C'est un petit bois.
6. Claude est très naïf.
7. Tu bois quelque chose ?

Transcriptions

5 Écoutez les phrases enregistrées et indiquez le substantif remplacé par le pronom.

1. Je les ai mis sur la table.
2. Nous l'avons prise cet été.
3. Elle les a faits ce matin.
4. C'est moi qui l'ai peint.
5. Tu l'as comprise finalement ?

Page 80

1 Points de vue. Écoutez la discussion et choisissez le résumé correct.

– Au fait, vous avez écouté l'interview d'Élodie Berger, vous savez la chanteuse qui a gagné l'Eurovision ?

– Non, qu'est-ce qu'elle a dit ?

– Eh bien, elle vient de faire l'apologie de l'astrologie. Elle dit qu'un astrologue lui a prédit son succès et qu'elle a programmé la naissance de son fils en fonction de ses conseils, pour lui assurer une vie heureuse et prospère.

– Oui, moi aussi j'ai fait ça pour mon fils et tu as vu maintenant le champion qu'on a à la maison : il ne travaille pas au lycée et la seule chose qui l'intéresse, c'est les sorties avec les copains.

– Quoi, tu ne crois pas à l'astrologie ?

– Ah non, je suis très, très sceptique.

– Mais enfin, il faut bien admettre que les astres peuvent avoir une influence, non ? Par exemple, tu incarnes parfaitement ton signe du zodiaque, le taureau. Non et puis quand il y a la pleine lune, on se sent plus nerveux, on dort moins bien que d'habitude, vous ne trouvez pas ?

– Je n'ai jamais pensé à regarder le calendrier quand j'ai une insomnie ! Je trouve que c'est une théorie fantaisiste.

– Non, on ne peut pas dire ça. À mon avis, c'est vrai en partie ; l'influence des astres ou de la lune quand on parle des marées, du jardinage, elle existe.

– Pour le jardinage, peut-être mais moi, j'ai quelquefois consulté un astrologue pour des projets importants, bon, ça m'a été utile mais j'ai été déçue par le résultat final...

– Mais c'est normal, l'astrologie ce n'est pas une assurance sur le futur. Par contre, mon grand-père a toujours tenu compte de la lune pour s'occuper de son jardin et il a constaté toute sa vie l'importance du calendrier lunaire. Et à l'heure actuelle, l'agriculture biodynamique prend en considération les rythmes lunaires et planétaires.

– Sur ce point, je peux être d'accord avec toi, mais le reste, l'horoscope, ce qu'il va nous arriver c'est du blablabla.

– Bon, je vais mettre tout le monde d'accord. L'expérience de l'astrologie, je l'ai faite et c'est sûr que les astres exercent une influence sur notre monde, mais il faut se méfier des interprétations. Comme disait Marco, le problème, c'est qu'on cherche souvent à avoir des réponses concrètes et à savoir comment les choses vont se passer, mais ce n'est pas de la magie....

Page 83

12 Dictée. Écoutez et écrivez.

Il a fait très chaud hier et les enfants ont mis un chapeau et un short pour sortir. Les adultes sont restés à la maison et sont sortis seulement le soir. Un orage a éclaté et il a plu.
Aujourd'hui, il pleut et les enfants ne peuvent pas aller à la piscine. Ils ont mis un imperméable et des bottes pour aller à l'école.

Unité 9
Page 89

1 Écoutez et dites si les mots de chaque série sont identiques ou différents.

1. chaud - chaud
2. haché - âgé
3. beige - beige
4. cache - cage
5. joue - joue
6. hache - hache
7. chou - joue
8. figer - figer

2 Écoutez et indiquez si le son [ʃ] se trouve au début, au milieu ou à la fin du mot prononcé.

1. bouche
2. dimanche
3. choisir
4. machine
5. chapeau
6. charger
7. chaussure
8. riche

Transcriptions

3 Écoutez et indiquez si le son [ʒ] se trouve au début, au milieu ou à la fin du mot prononcé.

1. judo
2. sage
3. messager
4. magique
5. jeudi
6. rouge
7. imagination
8. rage

5 Écoutez l'enregistrement et complétez la transcription.

1. Le gendarme met son chapeau et se dépêche.
2. Je n'ai pas d'argent pour acheter du jambon.
3. Jean et Charlotte jouent à cache-cache.
4. Roger va prendre une douche et il cherche son shampoing.
5. Ce chapeau jaune est très joli, je l'achète !
6. Je mets ma nouvelle jupe pour jouer avec mes amies.
7. Julie fait des achats chez le boulanger.
8. J'ai mangé des choux de Bruxelles à la béchamel avec des champignons.

Page 90

1 Écoutez le dialogue et répondez aux questions.

– Salut ça va, Rémi ?
– Salut Sandra, ça va et toi ?
– Très bien, alors, ce cours de cuisine ? Tu es content ?
– Oui ! C'est super ! Il y a une bonne ambiance et j'apprends plein de choses. Par contre, j'ai un peu grossi…
– Ben… il faudra nous faire goûter ça !
– Bien sûr ! Justement, j'envisage de vous inviter à dîner et de vous préparer un menu spécial…
– Tu as des idées, raconte !
– Si je te dis… un tatin d'endives caramélisées à l'orange en entrée, un sauté d'agneau à la grecque en plat principal et une tarte soufflée aux abricots en dessert, tu dis quoi ?
– Ouah ! C'est du luxe ! Je ne connaissais pas le tatin d'endives…
– Oh, c'est assez simple, c'est le même principe que la tarte tatin, mais salé. C'est délicieux car l'orange adoucit le goût amer des endives.
– Intéressant ! Et le sauté d'agneau à la grecque ? C'est avec des légumes, j'imagine ?

– Tout à fait, des oignons, des olives noires, des courgettes et de l'huile d'olive.
– Et le prof, il est bien ?
– Oui, c'est une prof, elle explique bien, et comme on n'est pas nombreux, on participe tous. En fait, on prépare un repas, avec entrée, plat principal et dessert et on le mange ensemble à la fin du cours.
– C'est sympa ! C'est de la cuisine française ?
– Surtout mais pas seulement, on a fait aussi de la paella, un couscous…
– Et le groupe ?
– C'est bon enfant, on est deux hommes et six femmes et il y a un peu tous les âges.
– Et ce repas, c'est pour quand ?
– Vous êtes libres samedi prochain ?
– En principe oui, je vais demander à David et on te rappelle, ça te va ?
– O.K., à plus, alors.

Page 93

8 Dictée. Écoutez et écrivez.

1. J'adore la mousse au chocolat.
2. Nous avons mangé une excellente salade au fromage de chèvre chaud.
3. Ce restaurant offre une atmosphère très chaleureuse.
4. Pour moi, une dorade et pour lui, un steak à point.

Unité 10

Page 99

1 Écoutez et dites si les mots de chaque série sont identiques ou différents.

1. base - base - basse
2. casse - casse - case
3. laisse - laisse - laisse
4. désert - dessert - désert
5. cousin - cousin - cousin
6. poison - poison - poisson
7. phase - fasse - fasse
8. chausse - chose - chausse

2 Écoutez et indiquez si vous entendez le son [s] ou [z].

sucre - garçon - chose - lessive - scénario - zèbre - addition - occasion - morceau - assiette - maison - douze - souris - ciboulette - promotion - ça

Transcriptions

4 Écoutez l'enregistrement et complétez la transcription.

1. Il est bon, ce sandwich au saucisson !
2. Au passage, prends une douzaine d'œufs.
3. Ma voisine fait ses courses au Casino de Nation.
4. Mes fraises sont délicieuses !

5 Écoutez chaque phrase et indiquez si vous entendez le pronom *qui* ou le pronom *que*.

1. La robe que tu portes est très jolie.
2. C'est le chien des voisins qui aboie autant.
3. La matière qui m'intéresse vraiment, c'est l'histoire.
4. Le gâteau que tu as fait est délicieux !
5. C'est un village qui est très touristique.

Page 100

1 Écoutez le dialogue et choisissez l'option correcte.

– Allô, Bettina ?
– Salut Agnès, ça va ?
– Oui, très bien. Je t'appelle pour te faire une proposition.
– Ah oui ? Je t'écoute, dis-moi !
– Alors voilà : tu sais qu'une de mes tantes a un studio à Port Barcarès, près de Perpignan ?
– Oui, ça me dit quelque chose. Pourquoi ?
– Elle m'a demandé d'y aller avant l'été pour vérifier qu'il ne manque rien et que tout marche. Donc je t'appelle pour savoir si ça te dit de m'accompagner.
– C'est sympa de penser à moi. Tu iras quand ?
– On peut voir ça ensemble, fin mai, début juin, j'imagine.
– Et combien de jours ?
– Un long week-end, je vais regarder comment y aller. Je crois qu'il y a un train direct depuis Bordeaux.
– D'accord, tu me diras. Tout dépend si c'est compliqué d'y aller ou pas. Et qu'est-ce qu'on fera là-bas ? Ça ne doit pas être très animé hors saison, non ?
– Justement, ça nous reposera ! Et puis on pourra louer une voiture et visiter les environs, par exemple.
– Ah oui, bonne idée ! On pourra aller à Perpignan.
– Oui et j'aimerais bien retourner à Collioure. C'est un très joli petit port. Et puis il y a une grande plage à Port Barcarès…

– O.K., ça marche, tu m'as convaincue. En principe, je n'ai rien de prévu pour cette période, je vais quand même vérifier et il faudra regarder comment on y va. J'imagine que le plus près c'est Perpignan, non ?
– Il me semble, oui. Ben, c'est super si tu viens ! Au fait, on se voit demain soir chez Pierrot, n'oublie pas !
– Non non, à demain !

Unité 11

Page 109

1 Écoutez les mots enregistrés et numérotez-les par ordre d'apparition.

a) bâche - base - basse
b) joie - soie - choix
c) bêche - baisse - beige
d) Achile - asile - agile
e) rose - roche - rosse
f) mâche - mage - masse
g) bisse - bise - biche

2 Écoutez et dites si les mots que vous entendez commencent par [s] comme « station » ou par [es] comme « Espagne ».

1. station
2. stylo
3. esquimau
4. estomac
5. scanner
6. estivant
7. statue
8. espèce
9. spectre
10. espace

3 Réécoutez les mots de l'activité 2 et répétez-les en les faisant précéder de l'article défini qui convient. Comparez votre prononciation à celle de l'enregistrement.

1. la station
2. le stylo
3. l'esquimau
4. l'estomac
5. le scanner
6. l'estivant
7. la statue
8. l'espèce
9. le spectre
10. l'espace

Transcriptions

4 Écoutez et dites combien de fois vous entendez le son indiqué.

1. Je ne porte jamais de bijoux, je n'aime pas ça.
2. Le vélo, c'est un sport facile et amusant !
3. Tu cherches un chapeau assorti à tes chaussures ?
4. Zoé a perdu sa valise à Venise.

5 Dictée. Écoutez et complétez.

1. Je suis très intéressé par son chapeau parce qu'il est très amusant.
2. Les deux magasins offrent des services très professionnels.
3. Cette chemise est géniale, je vais la mettre dimanche pour la soirée.
4. Ses enfants viennent goûter tous les dimanches, parfois le jeudi.
5. Elle hésite entre cette jupe orange et ce short rouge.

6 Écoutez les phrases et indiquez si vous entendez le pronom *y* ou le pronom *en*.

1. Tu vas au ski ? J'en reviens, c'était super !
2. Au restaurant, j'y mange tous les jours.
3. Comment tu y vas, en train ou en avion ?
4. Marie est allée chez la coiffeuse. Elle en est sortie avec les cheveux très courts.
5. Vous y habitez depuis longtemps ?
6. Ils y vont souvent ?
7. Je suis allée faire les courses au supermarché, j'en sors à l'instant.

Page 110

1 Écoutez le document, puis choisissez l'option correcte.

« … C'est vrai que beaucoup d'entreprises ont des données très précises. Elles savent qui sont leurs clients potentiels et quels produits ils espèrent trouver sur le marché. Mais le fait d'acheter reste, en lui-même, un vrai mystère. Actuellement, il faut se rendre à l'évidence : il existe une relation entre le comportement des consommateurs et les changements sociaux. Un exemple : les acheteurs n'ont plus de complexes à acheter moins cher. Au contraire, c'est faire preuve d'astuce que de savoir recycler, revendre pour acheter, c'est se montrer malin que de trouver les bonnes occasions aussi bien en magasin que sur Internet. Ou encore, que de savoir attendre les promotions pour faire ses achats. Bref, leur mot d'ordre, c'est de consommer moins ou mieux.

D'un autre côté, on constate aussi deux choses. La première : plus de 10 % des ménages français ont déjà fait au moins une fois des courses alimentaires sur Internet et ça continue de progresser. L'e-commerce développe chez les acheteurs une plus grande attention et, en général, ils sont mieux informés. La deuxième : la baisse du pouvoir d'achat force à être plus modéré. Par exemple, les Français tentent aujourd'hui de réduire leur facture essence en limitant leurs déplacements, en faisant moins de kilomètres par an. Une autre façon de réduire la dépense automobile, c'est d'utiliser la voiture moins systématiquement ou de la partager avec d'autres pour les mêmes trajets.

Par contre, dans d'autres secteurs, on ne cherche pas à faire des économies, c'est le cas de la téléphonie : les Français ne peuvent plus se passer de leur portable et ils y consacrent de plus en plus d'argent, pour les abonnements au mobile, au fixe, à Internet et pour la télévision payante.

La clé de ces temps-ci est de recentrer ses achats sur l'essentiel. Moins consommer, mieux consommer ou consommer « vert » est une équation qui commence à faire de plus en plus d'adeptes… »

Unité 12

Page 119

1 Reconstituez six virelangues à partir des éléments suivants, puis écoutez l'enregistrement pour vérifier.

1. Il fait sécher ses chaussures sous le feu.
2. Ces six saucissons sont si secs qu'on ne sait si c'en sont.
3. Dans ta tente ta tante t'attend.
4. La roue sur la rue roule ; la rue sous la roue reste.
5. Un plein plat de blé pilé.
6. Trois tortues trottaient sur un trottoir très étroit.

3 Choisissez un mot de chaque série pour compléter les virelangues suivants. Vérifiez ensuite à partir de l'enregistrement.

1. Son chat chante sa chanson.
2. Un chasseur sachant chasser doit savoir chasser sans son chien.

3. Natacha n'attacha pas son chat Pacha, qui s'échappa.

4. Trois gros rats gris dans trois gros trous ronds rongent trois gros croûtons ronds.

4 Comprenez-vous cette histoire ? Décodez à partir des lettres ci-dessous l'histoire de deux personnages appelés Hélène et Hervé. Écoutez ensuite l'enregistrement et corrigez votre texte, si besoin est.

Hélène aime Hervé. Hervé est occupé. Hélène est agitée : « Assez, Hervé ! ». Hervé a cédé, Hélène est émue.

5 Indiquez la forme verbale (présent ou imparfait) que vous entendez.

1. Elle joue avec ses poupées.
2. Nous habitions en banlieue.
3. Ils finissaient de dîner.
4. Vous pouvez le faire tout seuls ?
5. Je passe l'après-midi à la maison.
6. On adorait faire des randonnées.
7. Tu mangeais au restaurant tous les dimanches.
8. Elle écoute de la musique classique.
9. J'aime lire avant de me coucher.
10. Ils s'amusaient dans le jardin.

Page 120

1 Écoutez cette situation, puis répondez aux questions.

– Bonjour ! Je suis absente pour le moment mais laissez-moi un message et je vous rappellerai dès que possible.

– Salut Annie. T'es où ? Il faut absolument que je te parle. J'ai une excellente nouvelle à t'annoncer ! Je vais essayer sur ton portable, sinon rappelle-moi ! À plus !

– Le numéro de votre correspondant n'est pas disponible pour le moment. Veuillez rappeler ultérieurement.

– Oh zut ! Allô, Annie, c'est toi ?

– Allô madame Froissard ? Bonjour, je me présente : monsieur Romano de la compagnie téléphonique Citron. J'ai une offre exceptionnelle à vous faire…

– Désolée, mais je ne suis pas intéressée.

– Écoutez-moi au moins, je vous assure que c'est une offre que vous ne pourrez pas refuser !

– Non non, merci. J'attends un appel urgent.

– Très bien est-ce que je peux vous rappeler ?

– N'insistez pas, je ne suis vraiment pas

intéressée. Au revoir monsieur. C'est pénible !

– Allô ?

– Ah Théo ! C'est moi ! Je suis contente de t'avoir, j'ai un truc super important à te raconter !

– Désolé Isa, c'est pas le moment, je suis en réunion. Je te rappelle.

– Mais c'est pas vrai ! Qui est-ce que je peux appeler ? Tiens, je vais appeler ma mère ! Allô, maman ?

– Bonjour ma chérie, comment vas-tu ? Justement, j'allais t'appeler, j'ai une excellente nouvelle à t'annoncer !

– Ben moi aussi, c'est pour ça que je t'appelle.

– Ton frère va être papa ! Il nous a appelés hier soir. Il ne t'a encore rien dit ? Annabelle est enceinte de six semaines. Je vais enfin être grand-mère ! Je suis folle de joie, et ton père aussi, bien sûr ! Mais et toi, tu voulais me dire quelque chose ?

– Oui, ben ça y est ! J'ai signé mon CDI. Je suis contente.

– Ah oui, c'est bien, je suis contente pour toi. Bon, je vais appeler ta tante pour lui annoncer la nouvelle. Je t'embrasse.

3 Écoutez ces messages sur répondeur et répondez aux questions suivantes.

1. Bonjour, je suis absent pour le moment mais si vous le désirez, vous pouvez me laisser un message. Je vous rappellerai dès que possible.

2. Vous êtes bien sur le répondeur du restaurant Parfums d'Orient. Nous sommes ouverts tous les jours de douze heures à quinze heures et de dix-neuf heures à vingt-trois heures. Pour les réservations, n'oubliez pas de nous indiquer vos noms et numéros de téléphone.

3. Allô, Florent, c'est moi. Je vais rentrer un peu tard ce soir. Pour dîner, il y a du poulet et une salade de riz dans le frigo. Faites vos devoirs ! Je vérifierai en rentrant. Je vous embrasse ton frère et toi. À ce soir !

4. Bonjour madame Chambon, monsieur Dupuys à l'appareil. Je vous appelle au sujet de votre commande : un des produits est en rupture de stock. Pouvez-vous me rappeler ? Merci ! Au revoir.

Vidéos : Unité 1

LE RESTAURANT UNIVERSITAIRE P. 17

1 Comment les étudiants appellent le restaurant universitaire ?

....

2 Cochez la ou les bonne(s) réponse(s).

a) ☐ Les restaurants universitaires proposent des repas chers mais complets.
b) ☐ Les restaurants universitaires ne sont pas bons.
c) ☐ Les restaurants universitaires ne sont pas chers.
d) ☐ Les restaurants universitaires se trouvent près des universités.

LE QUÉBEC P. 18

1 Qui est Jacques Cartier ?

....

2 Que veut dire « char » au Québec ?

a) ☐ Un cartable.
b) ☐ Un classeur.
c) ☐ Une voiture.

LA FRANCE P. 39

1 Citez les fleuves importants de France.

....

2 Où commence et où termine la Loire ?

....

Vidéos : Unité 2

PÔLE EMPLOI P. 30

1 **Les demandeurs d'emploi :**

a) ☐ n'ont plus de travail.
b) ☐ ont un travail mais veulent changer.

2 **Pôle emploi :**

a) ☐ recrute les demandeurs d'emploi.
b) ☐ forme les demandeurs d'emploi.

TOURS P. 31

1 **La région de Tours est célèbre pour :**

a) ☐ ses peintres.
b) ☐ ses plages.
c) ☐ ses châteaux.

2 **Citez quatre auteurs célèbres de la région.**

....

LA MODE, LA HAUTE COUTURE ET L'ARTISANAT P. 40

1 **Complétez.**

Paris est importante pour ....

2 **Quels grands couturiers célèbres connaissez-vous ?**

....

3 **Nelly Bichet est un artisan. Qu'est-ce qu'elle fabrique ?**

....

LES RYTHMES SCOLAIRES EN FRANCE P. 44

1 **En France, les collégiens sont en vacances :**

   a) □ toutes les 5 à 6 semaines.
   b) □ toutes les 4 à 9 semaines.
   c) □ toutes les 6 à 9 semaines.

2 **Est-ce que tous les collégiens sont en vacances aux mêmes dates ?**

....

LA SUISSE P. 45

1 **Où vivent les « travailleurs frontaliers » français ? Où travaillent-ils ?**

....

2 **Chaque jour, qui traverse la frontière ?**

   a) □ 5 000 travailleurs frontaliers.
   b) □ 100 000 travailleurs frontaliers.
   c) □ 100 000 travailleurs frontaliers, mais aussi des étudiants.

LA BAGUETTE P. 65

1 **Citez les trois étapes de préparation de la pâte.**

....

....

....

2 **Où achète-t-on une baguette ?**

....

Vidéos : Unité 4

DES JARDINS EN VILLE P. 55

1 **Les jardins partagés sont pour :**

a) ☐ les enfants.
b) ☐ les habitants de la ville.
c) ☐ les agriculteurs.

2 **Dans les jardins partagés :**

a) ☐ on peut dessiner et faire du sport.
b) ☐ on apprend à travailler ensemble.

AURILLAC P. 56

1 **Aurillac se trouve :**

a) ☐ en Auvergne, au sommet du Puy Mary.
b) ☐ dans le Massif Central, sur un volcan.
c) ☐ en Auvergne, en bas des monts du Cantal.

2 **Quelle est la spécialité d'Aurillac ?**

....

LES BOUQUINISTES P. 66

1 **Dans quelle ville se trouvent les bouquinistes ?**

....

2 **« Bouquin » est un mot familier qui signifie :**

a) ☐ le libraire.
b) ☐ le magazine.
c) ☐ le livre.

3 **Les bouquinistes vendent différents objets. Citez trois exemples.**

....

Vidéos : Unité 5

ALBI P. 68

1 **Qu'est-ce qu'on peut visiter dans le centre d'Albi ?**

....

2 **Quel est le peintre célèbre d'Albi ?**

....

3 **Albi est appelée « la ville rouge » parce que :**

    a) ☐ toutes les maisons sont peintes en rouge.
    b) ☐ les maisons sont construites en brique rouge.
    c) ☐ le soleil donne des reflets rouges aux maisons.

LA LIBÉRATION P. 69

1 **Complétez.**

    a) Dans toute la France, beaucoup de rues s'appellent rues de ....

    b) La Libération est une lutte contre le .... et les troupes ....

    ....

LE SOUK P. 91

1 **Que signifie « souk » ? Où trouve-t-on des « souks » ?**

....

2 **Quels articles pouvez-vous acheter dans un « souk » ?**

....

3 **Est-ce que le prix est définitif ?**

....

Vidéos : Unité 6

GÎTES DE FRANCE P. 80

1 **Complétez.**

Le .... des « Gîtes de France » regroupe des maisons typiques où les touristes peuvent dormir.

2 **Cochez la ou les bonne(s) réponse(s). Dans les « Gîtes de France » :**

a) ☐ il y a des soirées très animées.
b) ☐ l'atmosphère est familiale.
c) ☐ on découvre de beaux endroits.
d) ☐ il y a toujours au moins une salle de gym et un spa.

L'ÎLE-DE-FRANCE P. 81

1 **En Île-de-France, il y a :**

a) ☐ presque onze millions d'habitants.
b) ☐ onze millions neuf cent mille habitants.
c) ☐ onze millions sept cent mille habitants.

2 **Quels sont les avantages de la banlieue ?**

....

3 **Quel est le moyen de transport pour aller de Paris en banlieue et vice-versa ?**

....

LES PALAIS MAROCAINS P. 92

1 **Complétez.**

Le palais Bahia, du ...., est l'un des plus beaux palais du .... Il a d'immenses .... Les .... apportent de la fraîcheur en ....

2 **Qui vient parfois vivre dans ce palais ?**

....

LA MOBILITÉ EN FRANCE P. 94

1 Les Français aiment-ils changer de ville ?

....

2 Où vont les Français quand ils déménagent (plusieurs réponses) ?

a) □ Au bord de la mer.
b) □ Au Nord.
c) □ Vers le Sud.

CLERMONT-FERRAND P. 95

1 La ville est noire à cause :

a) □ de la pierre utilisée.
b) □ de la pollution.
c) □ du mauvais temps.

2 Quel est le sport préféré de la région ? ....

LE PASSAGE DE L'ENFANCE À L'ÂGE ADULTE P.117

1 Les Sénoufos vivent :

a) □ au Sénégal.
b) □ en Côte d'Ivoire.

2 Les garçons suivent une initiation :

a) □ à 7 ans, à 14 ans puis à 28 ans.
b) □ de 7 à 28 ans.

3 Les cérémonies ont lieu :

a) □ sur la place du village.
b) □ dans un bois sacré.

Vidéos : Unité 8

LES MAISONS DE QUARTIER P.106

1 Les maisons de quartier proposent (plusieurs bonnes réponses) :

a) ☐ des cours.
b) ☐ des voyages.
c) ☐ des spectacles.

2 Citez trois activités qu'un enfant peut faire le mercredi après-midi.

....

LE JUMELAGE EN EUROPE P.107

1 Depuis quand le « jumelage » existe-t-il ? Pourquoi ?

....

2 Les valeurs du jumelage sont :

a) ☐ l'amitié, avec des échanges de bijoux.
b) ☐ la coopération avec des échanges de livres.
c) ☐ l'amitié, la coopération et la compréhension entre les peuples.

LE CORSET P.118

1 À quoi a servi le corset à la Renaissance ? Puis au XIXe siècle ?

....

2 Cochez la bonne réponse.

a) ☐ Les femmes refusent maintenant de porter des corsets.
b) ☐ Les hommes n'ont jamais porté de corset.
c) ☐ Givenchy, Dior, Gaultier et Chanel offrent des modèles de corsets très à la mode.

DU PRODUCTEUR AU CONSOMMATEUR P.120

1 Citez quelques produits que vous trouvez dans un marché.

....

2 Pourquoi les marchés sont importants ?

....

LA BAVETTE P.121

1 Quels sont les deux plats typiques des restaurants en France ?

....

2 Citez une sauce qui accompagne la bavette.

....

3 Complétez.

La cuisson de la viande peut être bleue, ..., à point ou ....

BARS, BRASSERIES ET RESTAURANTS P.143

1 Comment s'appelle la recette locale ?

....

2 Citez au moins quatre ingrédients nécessaires.

....

3 Cochez la bonne réponse. Il faut faire revenir les lardons avec :

a) □ les carottes et l'ail.
b) □ les escargots et le vin.
c) □ les oignons et les carottes.

Vidéos : Unité 10

LA SÉCURITÉ ROUTIÈRE P.132

1 Qu'est-ce qu'il faut contrôler dans sa voiture avant de partir en voyage ?

....

2 Citez un autre conseil pour éviter les accidents.

....

LE VÉLIB P.144

1 Qu'est-ce que Vélib ?

....

2 Avec Vélib :

a) ☐ vous pouvez rouler même s'il pleut.
b) ☐ vous pouvez choisir un vélo pour la journée.
c) ☐ vous pouvez prendre et rendre le vélo à deux endroits différents.

3 Combien de vélos sont réparés par jour ?

....

Vidéos : Unité 11

LES GRANDS MAGASINS P. 146

1 Quel est le premier grand magasin de Paris ? Quand ouvre-t-il ses portes ?

....

2 Citez d'autres grands magasins du XIXe siècle.

....

3 Pour la première fois, au Bon Marché :

a) ☐ les employées répondent aux questions sur les prix.
b) ☐ les prix sont indiqués sur des étiquettes.
c) ☐ les employées réalisent les vitrines.

LES BUREAUX DE TABAC P. 147

1 Complétez.

Seuls, les bureaux de tabac ont le droit de vendre du .... , des .... et des timbres.

2 Est-ce qu'ils peuvent vendre aussi des magazines ? des cahiers ? des bonbons ?

....

LE PARAPLUIE DE CHERBOURG P. 169

1 Où se trouve la ville de Cherbourg ?

....

2 Qui joue dans le film *Les parapluies de Cherbourg* ?

....

3 Cochez la ou les bonne(s) réponse(s).

a) ☐ Ce parapluie est solide.
b) ☐ Mais il n'est pas très joli.
c) ☐ Il est toujours construit à Cherbourg.

LES FESTIVALS DE MUSIQUE P. 158

1 Où a lieu le festival des *Trans Musicales* ?

....

2 On peut y écouter (plusieurs bonnes réponses) :

a) ☐ de la musique classique.
b) ☐ de l'électro rock.
c) ☐ de nouveaux groupes de musique.

3 Les concerts ont lieu :

a) ☐ toute la journée sur plusieurs scènes.
b) ☐ toute la journée sauf le matin, sur une seule scène.
c) ☐ l'après-midi, le soir et la nuit, sur plusieurs scènes.

LES ANIMAUX DE COMPAGNIE P. 159

1 En France, il y a :

a) ☐ le même nombre d'animaux et de personnes.
b) ☐ un plus grand nombre d'animaux.
c) ☐ presque le même nombre de personnes et d'animaux.

2 Est-ce qu'il y a plus de chiens ou plus de chats ? Pourquoi ?

....

PONT-AVEN P. 170

1 Complétez.

a) Pont-Aven est un village en ....
b) .... ont inspiré de nombreux artistes.
c) À partir du ...., beaucoup de .... ont vécu à Pont-Aven.
d) .... encore, des artistes .... suivent des formations à ....
de Pont-Aven.

2 Quel peintre très connu a peint des tableaux de la région ?

....

TRANSCRIPTIONS DES VIDÉOS

Unité  1

Le restaurant universitaire p. 17

Les étudiants l'appellent « Resto U » ou « RU ».
Il est situé près des sites universitaires. Les repas sont proposés par le CROUS (Centre Régional des Œuvres Universitaires). Ils sont très bon marché.
Homme 1 : Les restos universitaires, oui, les repas sont complets, c'est pas cher pour les étudiants.
Femme 1 : On mange plutôt bien et pour pas trop cher donc, voilà.
Femme 2 : Mais, c'est convenable en fait. C'est surtout un très bon rapport qualité-prix.

Le Québec p. 18

Jacques Cartier, navigateur français, découvre le Canada en 1534. L'anglais et le français sont les deux langues officielles du pays.
Le Québec est la province francophone du Canada.
L'accent québécois est différent de l'accent français. Les Québécois ont aussi des mots différents. Par exemple, en France, on dit « une voiture » et au Québec on dit « un char ». En France, on dit « un classeur » et au Québec on dit « un cartable ». En France, on dit « un appareil photo » et au Québec on dit « une caméra ».

La France p. 39

La Loire, la Seine, la Garonne, le Rhône et le Rhin sont les fleuves les plus importants de France.
La Loire prend sa source dans le Massif Central et se jette dans l'océan Atlantique, près de Nantes. Elle traverse le Val de Loire, patrimoine mondial de l'UNESCO. Elle passe, entre autres, par Tours puis Montsoreau, où la Vienne se jette dans la Loire. Un peu plus loin, la Loire traverse Saumur, puis poursuit son cours.

Unité  2

Pôle emploi p. 30

Pôle emploi est un établissement public chargé de l'emploi en France.
Ses principales missions sont : l'accueil, l'inscription, l'accompagnement, l'orientation professionnelle et la formation des demandeurs d'emploi.

Tours p. 31

La ville de Tours se situe au cœur du Val de Loire, dans la région Centre. Le Val de Loire est la région des châteaux de la Loire. Il est inscrit au patrimoine mondial de l'UNESCO.
Située au bord de la Loire, Tours est classée « Ville d'art et d'histoire ».
Le Val de Loire est la région de Rabelais, Ronsard, Balzac et Descartes, célèbre pour ses fromages et ses vins !

TRANSCRIPTIONS DES VIDÉOS

La mode, la haute couture et l'artisanat p. 40

La haute couture et la mode sont des symboles de la France.
Paris est une ville très importante pour la haute couture et les défilés de mode.
Il y a en France beaucoup de grands couturiers et de créateurs de mode connus internationalement, comme Christian Dior.
Il existe aussi en France de nombreux artisans qui apportent leur créativité à la mode française.
Par exemple, Nelly Bichet travaille dans la ville du Mans. Elle crée et fabrique ses chapeaux elle-même, puis elle les vend dans son magasin.

Unité

Les rythmes scolaires en France p. 44

L'année scolaire, à l'école maternelle, à l'école primaire, au collège et au lycée, est divisée en cinq périodes de travail de six à neuf semaines et quatre périodes de vacances : les vacances de la Toussaint, les vacances de Noël, les vacances d'hiver et les vacances de printemps.
Mais ce ne sont pas les mêmes dates dans toute la France. Les dates des vacances changent en fonction des zones A, B ou C.

La Suisse p. 45

De nombreux Français qui vivent près de la frontière travaillent en Suisse. Ce sont les travailleurs frontaliers. Ils constituent la moitié de la main d'œuvre frontalière en Suisse, devant les Italiens et les Allemands.
Homme : 100 000 personnes chaque jour qui vont à Genève travailler, et après il y a aussi les étudiants. Je prends un bus qui est juste à côté de chez moi, et en fait, le bus s'arrête à la douane et à la douane je prends un tramway.

La baguette p. 65

La baguette est un pain allongé. C'est un aliment emblématique de la France.
La préparation d'une bonne baguette demande au moins trois heures : le temps de préparer la pâte, de la laisser reposer, puis de la cuire. On obtient ainsi un pain avec une croûte dorée et croustillante.
La baguette est le pain préféré des Français. Ils l'achètent souvent dans une boulangerie, où elle est fabriquée de manière artisanale. Elle accompagne la majorité des repas des Français.

TRANSCRIPTIONS DES VIDÉOS

Unité  4

Des jardins en ville p. 55

Les jardins familiaux ou partagés sont des parcelles de terrain mises à disposition des habitants par la ville ou des associations. Ils sont cultivés en général pour un usage privé, mais dans un lieu ouvert à tous.
Femme : *Alors, ce sont des jardins ouverts aux habitants de la ville pour retrouver le lien à la terre, apprendre à jardiner et apprendre à faire ensemble.*

Aurillac p. 56

Aurillac est une petite ville française. Elle est située en Auvergne. C'est la capitale française du parapluie. La ville est au pied des monts du Cantal, dans le Massif Central. Le Massif Central est la zone volcanique la plus vaste d'Europe. Le Puy Mary est le sommet le plus connu. Il culmine à 1787 mètres. C'est le rendez-vous des randonneurs. Aurillac accueille tous les ans un festival des arts de la rue à la fin du mois d'août.

Les bouquinistes p. 66

Si vous allez à Paris, vous devez vous promener le long de la Seine, le fleuve qui traverse la ville. Vous découvrez alors les bouquinistes. « Bouquin » signifie « livre » en langue familière. Ce sont des libraires installés en plein air au bord de la Seine. Vous pouvez trouver des livres anciens et contemporains, mais aussi des gravures, des estampes, des posters, des timbres, des cartes postales, des revues et des journaux anciens. Les bouquinistes font partie du paysage parisien.

Unité  5

Albi p. 68

Albi est dans la région Midi-Pyrénées, dans le sud de la France, près de Toulouse. Dans le centre-ville, on peut visiter la cathédrale Sainte-Cécile, de style gothique méridional et le Palais de la Berbie. L'ensemble constitue la cité épiscopale. L'édification de ces monuments commence au XIIIe siècle.
Albi est surnommée la « ville rouge » à cause de la couleur des monuments historiques et des maisons, construits en brique.
Le palais de la Berbie abrite le musée Toulouse-Lautrec, peintre de la deuxième moitié du XIXe siècle originaire d'Albi.

La Libération p. 69

On trouve des noms de rues, de places, d'avenues... qui évoquent la Seconde Guerre mondiale dans toutes les villes de France. La « Libération » a mis fin à l'Occupation de la France par les troupes allemandes.
Homme : *Et ça fait référence aussi à la lutte contre le nazisme, la lutte commune contre le nazisme.*

TRANSCRIPTIONS DES VIDÉOS

Le souk p. 91

Bienvenue à Marrakech, au Maroc ! Le souk, qui signifie « marché » en langue arabe, est le lieu idéal pour trouver des souvenirs. Il y a de nombreuses boutiques qui vendent des objets d'artisanat local. Vous pouvez acheter des tapis, des lampes, des bijoux, du tissu, des objets en bois, des babouches et beaucoup d'autres articles. N'oubliez pas de marchander, c'est-à-dire de négocier le prix. Vous pouvez aussi simplement observer le travail des artisans.

Unité 6

Gîtes de France p. 80

Le label « Gîtes de France » est le premier réseau d'hébergement chez l'habitant en Europe. Il met en valeur l'authenticité, la convivialité, la nature, le calme et la découverte.
Femme : On avait un bâtiment existant, qui était vieux. On a fait le choix de le réaménager pour pouvoir accueillir des gens qui viennent en vacances à la montagne.

L'Île-de-France p. 81

C'est la région la plus peuplée de France avec 11,9 millions d'habitants en 2012.
C'est aussi en Île-de-France qu'on déménage le plus en France : les Parisiens partent vers la banlieue, à l'extérieur de Paris. En banlieue, il y a plus de parcs, de jardins… Des logements plus spacieux et moins chers, de la tranquillité… L'inconvénient majeur est le temps de transport. Pour aller au travail beaucoup de gens prennent le RER, le Réseau Express Régional.

Les palais marocains p. 92

Nous sommes à nouveau à Marrakech, au Maroc. La médina, le cœur historique de la ville, abrite peut-être la maison de vos rêves. Derrière ces murs d'une grande sobriété peuvent se cacher de magnifiques demeures. Nous avons sélectionné pour vous le palais de la Bahia, du XIXe siècle. C'est un des plus beaux palais du Maroc, il dispose d'immenses jardins et de nombreuses cours intérieures. Les fontaines apportent de la fraîcheur en été. À l'intérieur, les pièces sont toutes richement décorées. La Bahia peut se visiter et accueille parfois la famille royale marocaine.

Unité 7

La mobilité en France p. 94

La mobilité géographique des Français au long de leur vie est plutôt faible.
En général, les Français sont réticents à quitter leur ville natale, mais certains se décident, en particulier pour « émigrer » du nord ou du centre vers le littoral ou la région Rhône-Alpes.
Femme : Et bien, en fait, j'habite dans la région depuis une vingtaine d'années, mais je suis née à Paris. Quand on a décidé de s'en aller, j'ai pris une grande carte de France et cherché l'endroit qui rassemblait tout ce dont j'avais envie. Je suis tombée sur Grenoble.

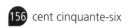

TRANSCRIPTIONS DES VIDÉOS

Clermont-Ferrand p. 95

Bienvenue sur la place de Jaude. C'est le cœur de Clermont-Ferrand, en Auvergne. Cette place est dominée par la statue de Vercingétorix, héros auvergnat de la guerre des Gaules contre Jules César. Les bâtiments sont très sombres, presque noirs, comme en témoigne la cathédrale gothique. Cette couleur s'explique par l'origine volcanique de la pierre utilisée dans la construction.
Enfin, le sport le plus populaire de la région est le rugby. Les supporters se réunissent sur la place de Jaude pour les matchs importants.

Le passage de l'enfance à l'âge adulte p. 117

Les Sénoufos sont une des ethnies africaines présentes en Côte d'Ivoire. Les garçons de cette ethnie suivent une initiation depuis l'âge de 7 ans jusqu'à l'âge de 28 ans, divisée en trois périodes de 7 ans. Les cérémonies ont lieu dans un bois sacré à l'extérieur de chaque village. Il abrite les masques et les sculptures utilisés lors des rites d'initiation. À la fin de leur initiation, ces hommes démontrent leur apprentissage à l'ensemble du village dans une tenue spécifique. Quand ils dansent, ils ne doivent surtout pas laisser tomber les branches qu'ils ont dans leurs mains.

Unité  8

Les maisons de quartier p. 106

Les maisons de quartier sont des centres de loisirs, de rencontres et d'échanges, gérés par les municipalités ou par des associations. Elles proposent des cours, des espaces pour les familles, des spectacles, des fêtes de quartier. Elles ont pour objectif de renforcer la convivialité et la citoyenneté dans un quartier.
Femme : Par exemple, un enfant peut faire de l'escalade tous les mercredis pendant l'année scolaire, il peut faire un atelier d'art plastique, il peut faire de la danse, il peut faire du tir à l'arc, il peut faire de… du théâtre, voilà. C'est la même chose pour les jeunes ou les adultes.

Le jumelage en Europe p. 107

Un grand nombre de communes européennes sont unies entre elles par un accord de jumelage officiel. Après la Seconde Guerre mondiale, ces jumelages se sont développés pour apaiser les tensions. Les valeurs premières du jumelage sont l'amitié, la coopération et la compréhension entre les peuples.
Par exemple, la ville de Lyon est jumelée avec la ville anglaise de Birmingham. Les deux villes organisent des échanges entre les créateurs de bijoux. D'autre part, Marseille est jumelée avec la ville ukrainienne d'Odessa. Les deux villes organisent des échanges culturels entre leurs bibliothèques.

Le corset p. 118

Historiquement, le corset a été une obligation pour les femmes de la haute société, avec deux fonctions bien différentes. D'abord, à la Renaissance, il a servi à cacher la féminité. Ensuite, au XIXe siècle, il a servi au contraire à la mettre en valeur.
Le créateur de mode français Hubert Barrère a contribué à remettre le corset à la mode. Ce sont les femmes aujourd'hui qui choisissent de porter un corset ou non. Certains de ses modèles ont été présentés durant des défilés de mode de Givenchy, Dior, Jean-Paul Gaultier, Chanel et d'autres maisons de couture.
Il nous présente lui-même une de ses plus belles pièces.
Aujourd'hui, il existe également des corsets de haute couture destinés aux hommes.

TRANSCRIPTIONS DES VIDÉOS

Du producteur au consommateur p. 120

Les marchés sont une manière pour les producteurs de vendre leurs produits localement, directement aux consommateurs.

On peut y acheter des fruits et des légumes. On y trouve également du fromage, du pain, du poisson, de la charcuterie, de la viande, mais aussi des vêtements, des fleurs et beaucoup d'autres choses.

Les marchés sont aussi des lieux de convivialité qui participent à la vie sociale des villes et des villages. Ils sont très populaires en été.

La bavette p. 121

La bavette est, avec l'entrecôte, un des plats les plus typiques dans les restaurants ou les brasseries. C'est un morceau de bœuf. Elle est généralement servie avec une sauce : à l'échalote, au poivre vert, au roquefort ou béarnaise. La cuisson : bleue (presque crue), saignante (peu cuite), à point ou bien cuite.

Homme 1 : Je la préfère saignante. Toujours. La viande saignante, la viande rouge, c'est obligatoire.
Femme 1 : À point.
Homme 2 : Bon, ben la viande, cuite hein, bien cuite !

Bars, brasseries et restaurants p. 143

Un restaurant poitevin
Après un tour dans les rues piétonnes de Poitiers, nous découvrons une recette locale : les escargots au vin rouge.
Il faut : des oignons, des lardons, des carottes, de l'ail, du vin rouge et des escargots.
Faites revenir les lardons, les carottes et les oignons et ajoutez le vin.
Ensuite, ajoutez les escargots et faites-les cuire dans la sauce pendant environ une heure.
Servez, et voilà, c'est prêt.
Bon appétit !

La sécurité routière p. 132

En France, la délégation à la sécurité et à la circulation routières se charge de la prévention des accidents de la route. Elle nous donne quelques conseils pour préparer un long voyage.
Avant le départ, contrôlez l'état de votre voiture : les niveaux, la pression des pneus…
Ne chargez pas trop votre véhicule et répartissez bien le poids.
Pensez à prendre de l'eau. Et, s'il fait beau, n'oubliez pas vos lunettes de soleil.
Pendant le trajet, faites des pauses régulièrement.

TRANSCRIPTIONS DES VIDÉOS

Le Vélib p. 144

Le mot Vélib vient des mots vélos, c'est-à-dire bicyclette, et liberté. C'est le système de vélos en libre-service de Paris. Les utilisateurs peuvent choisir et prendre un Vélib à un endroit, puis le restituer à un autre endroit.

De cette manière, vous n'avez pas besoin d'avoir votre propre vélo pour pouvoir circuler dans Paris. S'il commence à pleuvoir, il suffit de déposer le vélo et de prendre les transports en commun.

Ces vélos collectifs sont réparés et entretenus sur une péniche qui circule d'un bout à l'autre de la Seine, le fleuve qui traverse Paris. Les employés récupèrent et réparent entre 30 et 40 vélos par jour. Le Vélib est donc un très bon moyen pour découvrir Paris.

Unité

Les grands magasins p. 146

Au XIXᵉ siècle, la mode devient plus accessible grâce à l'industrialisation de la production des textiles. Le Bon Marché, créé en 1852 à Paris, est le premier grand magasin qui ouvre ses portes en France. Les vitrines et l'intérieur doivent séduire la clientèle. Pour la première fois, les prix sont affichés. Des employées réalisent des étiquettes manuellement.

D'autres grands magasins ouvrent les années suivantes à Paris : les Grands Magasins du Louvre, la Samaritaine, le Printemps et Galeries Lafayette.

Aujourd'hui, il y a des grands magasins dans toutes les grandes villes de France. Par exemple, on peut aller aux Galeries Lafayette à Biarritz, à Nice, et à Strasbourg, mais aussi dans d'autres pays, comme en Allemagne, à Berlin.

À Noël, les vitrines élaborées des grands magasins attirent toujours les enfants.

Les bureaux de tabac p. 147

Les bureaux de tabac ont le monopole de la vente de tabac, des jeux d'argent, appelés aussi « jeux de hasard », et des produits de la poste. Ils peuvent aussi vendre des articles de presse (journaux et magazines), de la papeterie et des confiseries.

Homme 1 : Aux jeux de hasard… Oui, je joue aux jeux de hasard…

Homme 2 : Ça m'est arrivé, mais rarement, très rarement, je joue pas d'argent, non non, c'est pas… dans mes habitudes.

Le parapluie de Cherbourg p. 169

Le parapluie de Cherbourg porte ce nom car il a été créé à Cherbourg, en Normandie, au bord de la mer du Nord. La marque fait bien sûr référence à la comédie musicale Les parapluies de Cherbourg, *avec Catherine Deneuve.*

Il existe différents modèles. Ils résistent à des conditions climatiques difficiles (le vent, la pluie…), grâce aux matériaux utilisés et à leur conception. Ils sont testés pour s'assurer de leur qualité et de leur résistance aux intempéries.

Le parapluie de Cherbourg est donc à la fois élégant et solide. Tous les parapluies de la marque sont construits sur place, à Cherbourg, et répondent à de hautes exigences de qualité.

TRANSCRIPTIONS DES VIDÉOS

Unité  12

Les festivals de musique p. 158

Le festival des Trans Musicales a lieu chaque année à Rennes, en Bretagne. Il a été créé en 1979. On peut y écouter différents styles de musiques actuelles.
L'objectif de ce festival est de présenter des nouveautés musicales.
Pendant quelques jours, les concerts se succèdent l'après-midi, le soir et la nuit sur plusieurs scènes.

Les animaux de compagnie p. 159

Selon une enquête réalisée en 2012, il y a en France environ 63 millions d'animaux pour 65 millions de personnes.
Les chiens ont longtemps été les animaux préférés des Français.
Depuis quelques années la population féline est en augmentation alors que celle des chiens est en diminution.
Ce phénomène s'explique par l'évolution des modes de vie des Français. Plus de gens vivent dans de petits appartements, mieux adaptés pour accueillir un chat qu'un chien.
En effet, il est préférable de disposer d'un jardin pour avoir un chien.

Pont-Aven p. 170

Pont-Aven est une commune française située en Bretagne. Elle est traversée par la rivière Aven qui lui donne son nom. Ses paysages et sa lumière ont inspiré de nombreux artistes.
À partir du XVIIIe siècle beaucoup de peintres ont vécu dans ce village.
Le plus connu, Paul Gauguin, y est allé pour la première fois en 1886. Il logeait à l'auberge Gloanec. Il a peint différents tableaux impressionnistes de la région. On peut voir des œuvres de Paul Gauguin et d'autres peintres au musée des Beaux-Arts de Pont-Aven.
Aujourd'hui encore, des artistes du monde entier viennent suivre des formations à l'école d'art contemporain de la ville. Ils apprennent et développent leur technique dans cette atmosphère artistique historique.

N° de projet : 10227776 - Dépôt légal : mai 2014
Achevé d'imprimer en Italie par Grafica Veneta - Trebaseleghe en juin 2016